Claudine Herrmann

LES VOLEUSES DE LANGUE

des femmes

INTRODUCTION

Il m'a souvent semblé que les hommes et les femmes ne comprenaient pas exactement de la même manière les idées ni les sentiments. La différence entre leurs langages et leurs entendements me paraissait affleurer partout : dans la vie sociale et professionnelle, dans les œuvres littéraires et dans les arts. Si ce fait était évident pour beaucoup, je voyais cependant que l'émancipation des femmes se faisait dans une seule direction : l'accès de celles-ci aux valeurs en cours, c'est-à-dire les valeurs viriles, sans que soient jamais prises en considération leurs manières propres de voir, de sentir et de penser.

J'ai essayé dans cet ouvrage d'examiner cette question sous des angles divers. Il ne s'agit ni d'une théorie ni d'un système. Encore moins d'une démonstration. Plutôt que démontrer, j'ai essayé de montrer. Montrer comment la culture est colonisée. La problématique ainsi ouverte est si considérable que ce livre ne constitue dans mon esprit qu'une première tentative qui pourrait être reprise dans les domaines les plus variés.

Les Américains commencent à rechercher si les perceptions sensorielles sont différentes chez les hommes et les femmes, si l'intelligence revêt des formes différentes chez les uns et chez les autres, si le langage et la psychologie se distinguent dès l'enfance, mais ces recherches, déjà amorcées par Jean Rostand en biologie, ne sont qu'à leurs débuts et participent de disciplines trop éloignées des miennes pour que je tente de les exposer.

Je me suis pour ma part essayée surtout sur des textes littéraires, historiques ou juridiques. Le lecteur pensera peut-être qu'en choisissant d'autres textes, on eût pu obtenir un résultat différent, mais il pourra considérer alors que des vérités contradictoires peuvent coexister et qu'il n'y a pas de raison pour que le crédit soit de préférence accordé à ce qui constitue un système, c'est-à-dire une construction qui tire surtout sa force d'une ignorance volontaire de ce qui lui est étranger. La vie est pleine de contradictions, la pensée aussi, et la science elle-même est loin d'en être exempte.

Il me semble que chercher à comprendre consiste à préférer l'objet de son étude à ses propres catégories mentales toujours si assoiffées d'ordre et d'unité. Il se peut que dans certains cas, une pensée systématique coïncide avec cet objet, mais le contraire est possible aussi, et dans le domaine qui nous occupe, au point où il en est, la meilleure méthode m'a paru être de donner une série d'aperçus.

I

DU PROPRE ET DU FIGURÉ

> « ... Et voilà pourquoi votre fille est muette. »
>
> MOLIÈRE.

La femme qui cherche à comprendre sa condition se trouve aux prises aussitôt avec un ensemble de concepts à la fois louches et bien organisés, un savant réseau qui traverse toutes les données de la culture, dont chaque maille tient à l'autre et dont l'ensemble renvoie immanquablement à un observateur-homme pour qui la notion de femme, quoique sujette à différents fantasmes, a été classée une fois pour toutes et a reçu une place qui ne saurait être remise en cause ni affecter profondément les autres questions.

La femme apparaît dans l'immense ensemble culturel comme mise entre parenthèses, débouchant inopinément à l'occasion d'autre chose quand on ne peut pas l'en empêcher, traversant les textes comme une ombre et éliminée le plus vite possible afin qu'on puisse passer sans perdre de temps à des dispositions plus importantes.

Ainsi, celle qui cherche à s'instruire est-elle obligée de laisser croître en elle un petit homme qui, s'il veut comprendre ce qu'il lit ou ce qu'il voit, doit oublier entièrement son origine; sinon il lui faudrait à chaque instant s'arrêter pour examiner les singularités qu'il rencontre.

Comment croire à la rationalité d'un droit qui, au XXe siècle a traité l'adultère et l'avortement comme des tabous ainsi que le faisaient les premiers Romains ?

Comment prendre au sérieux une politique qui élimine non seulement les femmes — à quelques récentes exceptions près — mais leurs préoccupations les plus profondes ?

Que penser de la philosophie lorsque (sans parler de Nietzche ou de Schopenhauer), Rousseau, si prisé aujourd'hui, se trouve l'auteur, entre autres d'une phrase telle que celle-ci :

« Ce principe établi, il s'ensuit que la femme est faite spécialement pour plaire à l'homme... » (1)

Comment imaginer qu'une culture fondée sur de telles bases ait cependant proliféré durant des siècles sans qu'aucune femme — jusqu'aux temps présents — ne l'ait directement dénoncée ?

Comment expliquer que le même phénomène se soit produit dans toutes les autres cultures, au Japon, en Chine, en Islam ?...

Que partout la réponse des femmes ait été, comme celle de Dieu, un long silence ?

C'est que la culture fait naître en chacun un autre personnage destiné à la fois à le libérer et à l'asservir. La femme qui acquiert du savoir et ainsi la faculté de s'exprimer, s'imagine faussement qu'en se faisant complice de la culture des hommes, elle peut renier sa condition et trouver son salut.

Mais que vaut le salut au prix d'un reniement ?

Et qui, sinon cette opinion virile, proclame que les valeurs des femmes doivent être étouffées pour qu'une civilisation s'établisse ? Ce n'est pas se libérer vraiment que d'accepter la croyance de ses maîtres.

Mais il faut une grande énergie pour laisser cohabiter au fond de soi un homme qui raisonne en homme dans le monde des hommes et une femme qui refuse d'annihiler ses propres conceptions et s'en sert pour étalonner celles qui lui sont proposées.

La femme qui tente cet effort est nécessairement schizoïde et, pourrait-on ajouter : hermaphrodite. Elle a appris dans les livres à voir les femmes avec les yeux des hommes et dans la vie à voir les hommes avec les yeux des femmes. Elle sait toute la marge qui existe entre le vécu et l'exprimé, elle comprend bientôt que la culture entière a été colonisée et qu'elle ne se trouve pas dans une situation absolument différente de celle d'un chat qui, ayant appris à lire, s'étonnerait des visions singulières qui sont révélées par le savoir humain tout autant que de l'étrange manière dont les chats y sont considérés.

Cependant, il n'y a pas de choix : il faut apprendre et avec ce dont on dispose : un savoir colonisé et un langage truqué.

Toute femme sait qu'il existe à l'intérieur du langage un micro-langage bourré de clins d'œil et d'allusions qui lui est spécifiquement destiné, et de même qu'un joueur de tennis ambidextre perd souvent une seconde capitale pour le jeu à se souvenir dans quelle main est sa raquette qui théoriquement pourrait être dans l'une ou dans l'autre, de même il faut à la femme parfois plusieurs secondes pour savoir si l'on s'adresse à elle en tant que femme ou en tant qu'individu, et si tel terme doit être pris dans son sens général ou dans son sens particulier, ce qui recouvre quelquefois un choix délicat entre le propre et le figuré comme dans le cas de la plus retentissante injure française dont le caractère plus ou moins injurieux sera fonction du contexte, figuré ou propre.

Ce type d'équivoque est à l'origine de ce passage de *L'Ecole des Femmes* (2) :

AGNÈS

« Moi, j'ai blessé quelqu'un ? fis-je tout étonnée.
Oui, dit-elle, blessé, mais blessé tout de bon;
Et c'est l'homme qu'hier vous vîtes du balcon.
— Hélas ! qui pourrait, dis-je, en avoir été cause ?
Sur lui, sans y penser, fis-je choir quelque chose ? »

Agnès ne sait pas décider s'il faut comprendre qu'elle a blessé Horace au propre (en laissant tomber quelque objet du balcon) ou au figuré (par amour).

Ce n'est peut-être pas un hasard si Montaigne a traité dans le même essai (*Sur des vers de Virgile*) de la femme et du langage ni s'il y raconte cette histoire (3) :

« Ma fille (c'est tout ce que j'ay d'enfans) est en l'aage auquel les loix excusent les plus eschauffées de se marier; elle est d'une complexion tardive, mince et molle, et a esté par sa mère eslevée de mesme d'une forme retirée et particuliere : si qu'elle ne commence encore qu'à se desniaiser de la nayfveté de l'enfance. Elle lisoit un livre françois devant moy. Le mot de *fouteau* s'y rencontra, nom d'un arbre cogneu; la femme qu'ell'a pour sa conduitte l'arresta tout court un peu rudement, et la fit passer par-dessus ce mauvais pas. Je la laissay faire pour ne pas troubler leurs reigles, car je ne m'empesche aucunement de ce gouvernement; la police féminine a un trein mystérieux, il faut le leur quitter. Mais, si je ne me trompe, le commerce de vingt laquays n'eust sçeu imprimer en sa fantaisie, de six moys, l'intelligence et usage et toutes les conséquences du son de ces syllabes scelerées, comme fit cette bonne vieille par sa réprimande et interdiction. »

Par une sorte de plaisanterie sémantique, l'arbre qui se nommait au XVIe siècle *fouteau,* ou encore *foutel* et *foustel,* s'appelle aujourd'hui le *hêtre,* comme si, avec le temps, il avait effectué un passage phonétique allant de l'action vers son résultat...

Mais que signifie cette histoire, sinon que, dès son adolescence, la jeune fille voit sa connaissance du vocabulaire limitée, non seulement par l'exclusion des mots qui présentent un rapport avec la sexualité, mais par celle de ceux qui présentent une vague analogie — fut-elle seulement sonore — avec eux. Et Montaigne écrit un peu plus loin — mais dans le même essai, lorsqu'il décrit l'excellence de la langue latine :

« A ces bonnes gens, il ne falloit pas d'aiguë et subtile rencontre; leur langage est tout plein et gros d'une vigueur naturelle et constante; ils sont tout épigramme, non la queuë seulement, mais la teste, l'estomac et les pieds. Il n'y a rien d'efforcé, rien de treinant, tout y marche d'une pareille teneur.

« *Contextus totus virilis est; non sunt circa flosculos occupati.* » Ce n'est pas une eloquence molle et seulement sans offence... »

Comment dire plus clairement que le bon langage est homme et que l'éducation des filles a pour mission de les en priver ?

On prend conscience de la généralité du phénomène, du soin avec lequel le langage a été universellement dissimulé aux femmes — subtilisé — en lisant les travaux de Claude Lévi-Strauss sur les Indiens d'Amérique. Dans le contexte du *Miel aux Cendres* (4), la femme peut en particulier être coupable de deux fautes : la première consiste à prendre le figuré pour le propre et la deuxième à prendre le propre pour le figuré. Chez les Sauvages (qui pour une fois portent bien leur nom) la femme est punie d'une faute dont elle n'est pas responsable : son ignorance. (Il faut cependant accorder ici que le concept de responsabilité est purement relatif, lié à certaines civilisations et non à d'autres). Quoi qu'il en soit, dans le premier cas, la femme qui a « consommé » le tapir comme amant au lieu de le consommer comme victuaille, est condamnée à consommer littéralement le pénis du tapir.

Cette mésaventure évoque une nouvelle de Barbey d'Aurevilly intitulée *La Vengeance d'une Femme* (5). On y voit une duchesse espagnole — la duchesse de Sierra-Leone, dont le nom ne rappelle pas inutilement celui du lion et de la montagne, c'est-à-dire ce qu'il y a de plus sauvage, vouloir dévorer le cœur de l'homme qu'elle aime afin de l'arracher aux chiens auxquels son mari l'a jeté, et se prostituer ensuite pour se venger de celui-ci.

La nouvelle de Barbey rejoint le mythe indien avec cependant quelques différences : il s'agit ici du cœur et non du pénis, et, parallèlement, d'un amour platonique et non pas matériel, mais ceci n'est qu'une transposition de l'affaire dans les convenances romantiques. Ce qui est plus intéressant, c'est que la prostitution remplisse la fonction de la copulation avec le tapir, c'est-à-dire le retour à la nature, particulièrement marquant, pour Barbey tout au moins, quand il s'agit d'une duchesse espagnole. Ceci montre que — selon les termes de la culture virile — la prostitution est « naturelle » alors qu'elle ne l'est pas plus pour une femme que pour un homme, ce qui est « naturel » étant que chacun s'abandonne aux désirs qu'il éprouve, chose fort différente de la prostitution.

Mais la différence la plus signifiante, celle qui a pour effet d'inverser l'ordre du récit en plaçant la conduite honteuse (la prostitution) non avant le châtiment, mais après, à titre de vengeance, c'est que la duchesse *assume* à deux reprises son destin de femme, la première fois en *choisissant* de manger le cœur de son cousin bien-aimé, la deuxième fois en *décidant* de se prostituer pour se venger de son mari, le duc, qui n'a pas été pour rien « gouverneur des colonies espagnoles... »

On voit clairement le progrès accompli par la civilisation : les hommes ont toujours le même comportement, mais les femmes commencent à s'en apercevoir...

Cependant, la deuxième faute que punissent chez leurs femmes les Indiens des mythes d'Amérique, c'est de prendre le figuré pour le propre (comme Agnès), et la femme qui a obligé son mari à coucher dehors sous le prétexte qu'il prétend bien dormir quand il pleut, sera dévorée par sa propre famille.

Or, si la première faute (prendre le propre pour le figuré) peut s'analyser comme une faute contre la culture, la deuxième faute (prendre le figuré pour le propre) n'est autre qu'une faute de l'intelligence. C'est celle que commettent les femmes qui ont cru stupidement ce que les hommes leur ont fait croire et ont accepté sans murmure l'éducation qu'elles ont reçue.

Elles seront finalement dévorées, au propre dans les mythes des Indiens d'Amérique et au figuré dans nos civilisations par leurs familles ou les occupations absurdes que leur tolère la société. Cette faute est commise volontairement (mais tout aussi stupidement) par Mme Verdurin dans *Un amour de Swann* : (6)

« ... tenez-là, la petite vigne sur fond rouge de l'Ours et les Raisins. Est-ce dessiné ? Qu'est-ce que vous en dites, je crois qu'ils le savaient plutôt, dessiner ! Est-elle assez appétissante cette vigne ? Mon mari prétend que je n'aime pas les fruits parce que j'en mange moins que lui. Mais non, je suis plus gourmande que vous tous, mais je n'ai pas besoin de me les mettre dans la bouche puisque j'en jouis par les yeux... »

S'il est vrai que les oiseaux venaient picorer les raisins dessinés par un peintre grec, Mme Verdurin est comparable à l'un de ces oiseaux comme l'observe d'ailleurs Marcel Proust :

« Mme Verdurin, juchée sur son perchoir, pareille à un oiseau dont on eût trempé le colifichet dans du vin chaud, sanglotait d'amabilité... »
car son intelligence ne lui permet pas de distinguer dans l'art autre chose qu'une reproduction exacte de la nature, et son « amabilité », fruit de l'éducation féminine la confinera pour toujours dans les « arts du néant » selon l'expression de Proust lui-même.

Il s'ensuit donc que le joli tableau établi par Claude Lévi-Strauss et que nous reproduisons :

	CODE	FAUTE DE LA FEMME	CHATIMENT
$M_{156\text{-}160}$ (tapir séducteur)	*alimentaire*	entendre au figuré ce qu'il fallait entendre au propre	/manger/... .../un « preneur »/... .../illégitime/... .../naturel/
$M_{278\text{-}279}$	*linguistique*	entendre au propre ce qu'il fallait entendre au figuré	/être mangée par/... .../des « donneurs »/... .../légitimes/... .../culturels/

(*Du Miel aux Cendres,* page 240.)

donne une idée très nette des deux grandes possibilités qu'offre le destin féminin, non seulement dans la mythologie américaine, mais chez nous (en tout cas jusqu'à une date fort récente), la première étant la prostitution, lorsque la femme « écoute la nature » (au moins telle que les hommes se la figurent) et devient une « croqueuse », la deuxième étant le mariage et la vie sociale adjointe, où la femme, au service de tous, est « dévorée » en tant qu'individu.

Il a également le mérite de montrer — non pas l'origine de cet état des choses — mais le moyen, déjà aperçu par Montaigne : le sexe du langage et de la culture.

Si l'on ne veut pas être dévoré par le langage, il faut d'abord le regarder en face, comme un étranger avec lequel il n'y a aucune entente ni aucune conception commune à quoi l'on puisse se référer tacitement. Je regarderai donc le langage comme un homme qui s'est longtemps interposé entre le monde et moi, un personnage dont la tendance est de croire qu'il est seul au monde, mais dont j'essaierai de déjouer les séductions, entraînée que j'ai été jadis à ce jeu par souci de démêler le vrai du faux, fût-ce au prix du charme d'un instant dont il me faut reconnaître aujourd'hui qu'il valait probablement toutes les vérités du monde, mais la femme ne peut exercer sa perspicacité qu'en commençant par l'homme — physique, intellectuel ou moral — puisque c'est lui qui détient encore dans sa pensée et dans son être, dans sa manière de raisonner — si différente — la majorité des mensonges et des vérités exprimés par une civilisation.

Or, pour témoigner que le langage a un sexe (le masculin), quoi de plus intéressant que d'examiner un *texte qui parle du texte* sous la plume de Roland Barthes ? (7)

Voici donc un passage extrait du *Plaisir du Texte :*

« Vous vous adressez à moi pour que je vous lise, mais je ne suis rien d'autre pour vous que cette adresse; je ne suis à vos yeux le substitut de rien, je n'ai aucune figure (à peine celle de la Mère); je ne suis pour vous ni un corps, ni même un objet (je m'en moquerais bien : ce n'est pas moi l'âme qui réclame sa reconnaissance), mais seulement un champ, un vase d'expansion... »

Or, si l'on en croit Freud : « Les boîtes, les coffrets, les caisses, les armoires, les poêles représentent le corps de la femme ainsi que les cavernes, les navires et *toutes espèces de vases.* »

L'image du vase est renforcée ici par celle du *champ,* le champ (comme une femme) étant par définition ce qu'on ensemence, si bien que le lecteur insatisfait (M. Barthes) se plaint à juste titre d'avoir été traité par l'auteur médiocre *comme une femme,* c'est-à-dire — et cette équivalence brillante est lourde de sens — comme quelqu'un qui *n'a pas de figure.* La formule « à peine celle de la mère » confirme bien la conjecture féminisante : le mauvais scripteur agit sans respect, comme envers une femme et ceci par le moyen d'un texte dont voici les caractéristiques :

« On peut dire que finalement ce texte, vous l'avez écrit hors de toute jouissance; et ce texte-babil est en somme un texte frigide, comme l'est toute demande, avant que s'y forme le désir, la névrose. »

Si le mauvais texte est « frigide », c'est qu'il est lui aussi femme (car enfin, dit-on d'un mâle qu'il est frigide ?) et, de cette redondance féminine, de ce contact Lesbien d'un texte-femme qui traite son lecteur en femme, jaillit la preuve que le texte est « babil », bavardage inutile, résultat d'une opération à la fois monstrueuse et infantile, qui renvoie le lecteur de M. Barthes exactement au lieu dont il vient : le référent culturel de la féminité (mais telle qu'elle est vue par une culture virile et non telle qu'elle est nécessairement) si bien, qu'une fois de plus, grâce au jeu du langage, l'équivalence est établie dans l'esprit du lecteur entre ces données : mauvais texte — texte féminin — insulte le lecteur en le traitant en femme — féminité passive — babil (infantilisme).

Mais ce n'est pas tout : ce texte bavard (et lui-même informe, car il parle au « sans figure ») croit s'adresser à quelqu'un, mais en vérité ne s'adresse à personne, il ne communique rien, il est non pas même Lesbien comme il apparaît d'abord (et ce pour la raison que ce texte-femme traite le lecteur, non pas comme une femme traite une femme, mais comme un homme traite une femme — avec mépris, avoué ou non) plutôt masturbatoire et muet en tant que la parole est transitive. L'équivalence est donc établie entre :

féminité — bavardage — mutité, lieu classique, déjà exploré souvent, en particulier dans « La comédie de celui qui épousa une femme muette », le texte dont parle M. Barthes est comparable à cette femme, il est *à la fois* muet et bavard, avec cette supériorité sur elle qu'il peut accomplir ces deux exploits cumulativement et non alternativement.

Cependant la femme, toujours qualifiée de « bavarde » a été longtemps muette. Non seulement parce qu'elle n'a jamais eu voix au grand chapitre de la société, mais parce qu'il a toujours été indécent — prostituée vouée à la « loi du silence » ou femme du monde « rompue » aux convenances — qu'elle s'exprime sur ce qui fait sa particularité. Elle a été ainsi réduite à jouer le rôle d'une actrice qui répète des phrases dont aucune n'a été inventée par elle. Elle triomphe à l'instant où son aliénation est la plus totale, mais quel que soit le charme qu'on y trouve, ses paroles sont toujours inutiles en tant que discours puisque avant qu'elle les dise, elles avaient déjà été écrites par quelqu'un d'autre.

Aussi Rousseau s'empresse-t-il d'écrire dans *L'Emile :*

« ... les mêmes jeunes filles acquièrent si vite un petit *babil* agréable, qu'elles mettent de l'accent dans leurs propos même avant que de les sentir, et que les hommes s'amusent si tôt à les écouter, même avant qu'elles puissent les entendre... »

Pour Rousseau, il ne suffit pas que la femme soit une actrice qui répète un rôle, mais (sans doute en raison de son goût pour la nature) un perroquet qui ne comprend même pas ce qu'il dit... Cependant, peut-être n'avait-il pas tort de se faire le chantre d'un ordre primitif puisqu'on trouve dans

L'Origine des manières de Table (8), cette description d'Indiennes :

« ... Ainsi rendues ravissantes, elles observaient un maintien modeste, tenant les yeux baissés en toutes circonstances, *s'imposant de ne pas rire ni parler haut...* » *

Pourquoi ne pas parler haut ? Parce qu'une parole haute est souvent le signe de la conviction qu'on y met et d'un désir d'expression véritable. Pourquoi ne pas rire ? Parce que c'est le signe d'un doute jeté sur le système viril qui vous entoure... Toute l'éducation traditionnelle de la femme tend à lui enlever le *sens* du langage, à la rendre muette au figuré et parallèlement bavarde au propre, à la priver de l'arme « naturelle » de l'espèce humaine qui n'a a sa disposition ni griffes ni bec, pour la convaincre ensuite qu'elle est faible et ne peut survivre qu'au prix d'une soumission.

Si par hasard elle a réussi à surmonter cet obstacle en s'appropriant la culture, son succès en tant que femme dépendra de son talent à maintenir son être et son paraître en opposition. Si elle est forte, il lui faudra paraître faible, si elle est intelligente, il lui faudra paraître un peu moins intelligente que l'homme à qui elle s'adresse, si elle a des désirs, il lui faudra les cacher, si elle n'en n'a pas, elle devra en feindre; la volonté ne lui sera tolérée que si elle passe pour un caprice, elle devra être homme dans sa culture (puisque la seule culture qui existe maintenant est une culture virile), s'identifier à un homme pour comprendre les textes qu'elle lira, mais être femme dans sa vie, et non pas femme comme elle l'entend elle-même, mais telle que la culture virile en a créé et lui en renvoie l'image.

(*) Souligné par nous.

Donc, deux fois aliénée, une fois en tant que personne dans une culture qui n'est pas la sienne, et une deuxième fois, dans la vie, en tant que femme obligée de se conformer à un modèle préexistant qui a été créé par les hommes, il est singulier que l'être le plus contrefait du monde s'entende rappeler partout — quand il se promène dans la rue ou quand il essaie de s'exprimer, qu'il « participe de la nature » et que c'est même là ce qu'on recherche en lui, avec il est vrai quelque condescendance.

Un conte d'Andersen (9) est très instructif sur ce point :

Une petite sirène étant éprise d'un prince qu'elle a sauvé pendant un naufrage, accepte de se laisser transformer en femme par une sorcière. Elle reçoit donc à la place de sa queue de poisson, une paire de jambes douloureuses et sanglantes et donne en échange — de façon bien significative — sa jolie voix.

Mais cette créature vraiment *naturelle* au point d'être muette (non au figuré mais au propre) ne réussira pas à se faire aimer : le prince lui préférera une princesse élevée dans un couvent comme il faut et dans les traits de qui il croira reconnaître la sirène de ses souvenirs brumeux.

La sirène désespérée se jette à la mer et reçoit, pour prix de son amour, une âme éternelle.

Ce récit peut être rapproché d'un conte chinois du XVIIIe siècle dont l'auteur se nomme Chin ku chi'i kuan (10) :

Une élégante chanteuse de Pékin abandonne son art pour l'amour d'un jeune étudiant. Un jour toutefois, il lui demande de chanter pour lui seul. Après quelque résistance « elle regarda la lune, et un chant lui échappa. C'était une mélodie touchante, puisée dans l'une des pièces de la dynastie Yuan et appelée *La lumière rose des pêches*. En vérité :

Sa voix s'envola vers la Voie lactée
Et les nuages s'arrêtèrent pour écouter
Son écho tomba dans l'eau profonde
Et les poissons s'approchèrent à la hâte... »

Mais la chanteuse est entendue par un homme riche à qui finalement son amant acceptera de la vendre. Comme la petite sirène, elle se jettera à l'eau (en injuriant toutefois les deux hommes), elle y précipitera à leur grand dam tous ses bijoux et elle sera transformée en ombre bienfaisante et désespérée.

Il apparaît donc que le comportement entièrement culturel qui consiste d'une part à avoir une éducation artistique et d'autre part à se croire obligée de l'abandonner pour complaire aux exigences d'une société conformiste, quitte à le reprendre momentanément pour obéir à son mari, a des effets aussi néfastes que la conduite « naturelle » de la petite sirène qui n'a pas hésité à aller « relancer » son prince contrairement à tous les usages. La moralité de ces deux histoires est d'abord qu'il ne faut sacrifier sa voix à personne mais aussi que la *vraie* nature et la *vraie* culture sont toutes les deux indésirables.

Ce qui permet à la femme de « réussir » auprès des hommes, c'est la culture qui singe la nature, et, non pas même la nature telle qu'elle est (à supposer qu'on le sût) mais telle qu'ils l'imaginent. C'est ce qui permet à Rousseau d'écrire des absurdités telles que celle-ci :

« La ruse est un talent naturel au sexe... »

Quel esclave ne devient pas rusé ? Lisez donc la vie d'Esope... et si Esope était rusé, s'ensuit-il que tous les hommes le soient « naturellement » ?

Rien n'est plus malhonnête que transformer une imagination en principe et une conséquence en cause.

La femme n'est « nature » dans aucune société, elle est seulement *envers de l'homme, contraire de la culture,* ce qui n'est pas du tout la même chose, car la nature est une et les cultures sont diverses. On élève la femme à devenir le négatif de l'homme :

là où il sera courageux, elle sera timide,
là où il sera sérieux, elle sera superficielle,
là où il s'exprimera, elle se taira,
là où il sera libre, elle sera esclave...

La femme se présente donc comme un antidote de la culture, quelque chose qui, lui étant opposé en atténue les excès, c'est ce qui la fait confondre parfois avec la nature. Mais alors que la nature s'oppose à la culture en étant au-dehors de son système, la femme fait seulement figure d'antithèse par rapport à une thèse, c'est-à-dire qu'elle s'oppose tout en restant à l'intérieur du système culturel.

D'ailleurs les quelques femmes vraiment « naturelles » dont on ait entendu parler, c'est-à-dire trouvées seules, hors de toute société, dans les forêts européennes (la dernière ayant, semble-t-il été trouvée en Champagne au XVIIIe siècle) (11) battaient le lièvre à la course (n'en déplaise à Jean-Jacques Rousseau) et professaient à l'égard des mâles, dès qu'elles en aperçurent, une antipathie extraordinaire et tout à fait spontanée.

Mais ce schème — qui construit artificiellement la femme comme le contraire de l'homme (carpe, je te baptise brochet, et je te plonge ensuite à jeun, comme dans telle recette bien connue, dans une eau où marinent les épices afin que tu t'en nourrisses toi-même pour embaumer ensuite le repas...)

était encore très net dans ma génération : c'est *dans la mesure* où les hommes ont cessé d'y prendre certaines initiatives que les femmes se sont aventurées. C'est parce qu'ils se sont habitués à exiger de plus en plus tout en donnant de moins en moins que peut (ou pourra bientôt) se poser la question : mais à quoi servent-ils ? comme on se l'est posée à propos de la noblesse en 1789.

Il n'est pas rare de voir aujourd'hui des femmes qui assument toutes les fonctions : gagner de l'argent, élever les enfants, tenir la maison, en présence d'un mari qui exige de surcroît qu'on lui fasse la cour (avec quelle délicatesse ne faut-il pas s'exprimer pour lui faire la moindre remarque ?) et même parfois qu'on lui soit fidèle, quoique cette dernière prétention paraisse avoir diminué en fonction du rendement croissant des femmes, ce qui laisse à méditer sur la relation des sentiments et de l'économie...

Il a donc fallu ce *recul* du rôle d'homme pour que la femme prenne conscience du caractère déformant de son éducation et commence à la mettre en cause.

Mais il y avait eu des précurseurs. Non seulement Molière dans *L'Ecole des Femmes* mais Mme de La Fayette dans *La Princesse de Clèves*. Dans cette histoire, on notera que le prince de Clèves meurt — non pas de l'amour que la princesse éprouve pour le duc de Nemours — mais de l'aveu qui lui en est fait par elle (12) :

« Je vous aimais jusqu'à être bien aise d'être trompé, je l'avoue à ma honte; j'ai regretté ce faux repos dont vous m'avez tiré... » dira en mourant le prince. Cette nuance avait été d'ailleurs parfaitement saisie par la société du XVIIe siècle et un véritable référendum avait été organisé parmi les personnes cultivées, dont les termes étaient — non pas — : la princesse est-elle coupable ou non d'aimer le duc, mais bien : a-t-elle tort ou raison de l'avouer à son mari ?

Ici, la princesse a été *trop bien éduquée,* dans ce sens qu'elle a pris son éducation au sérieux, qu'elle n'est pas restée dans les convenances, mais a tenté une démarche d'approfondissement dans se seul domaine où il était permis à une femme de s'y exercer, celui de la vertu.

Cependant, l'histoire prouve, en *décodant* l'éducation féminine, que celle-ci est une imposture. En effet : tel un douanier qui, respectant exactement le code des douanes, fouillant centimètre par centimètre les voyageurs et leurs bagages, démontre ainsi que la vie est rendue impossible et que le code n'est pas applicable à la lettre, de même, la princesse de Clèves, en « vidant son sac », se livre à une « grève perlée » qui établit cette vérité terrible : si les femmes méprisent les règles sociales, elles sont elles-mêmes méprisées, mais si elles les appliquent absolument, elles provoquent d'irrémédiables malheurs. Le jeu qu'on leur propose est donc entièrement pipé : c'est un jeu où elles ne gagnent jamais.

Cependant, la princesse a été passionnément aimée, et l'auteur suggère à plusieurs reprises que c'est parce qu'elle est différente des autres femmes (« une femme si différente de toutes celles de son sexe »). En quoi consiste cette différence ?

Son comportement de gibier qui fuit, de biche aux abois (l'un des contes de Mme d'Aulnoy [13] ne décrit-il pas une femme transformée en biche et reprenant la nuit sa forme primitive ?) est le comportement féminin classique. Qu'est-ce qui donne donc à la princesse une personnalité particulière ? Il semble bien que ce soit deux traits : le premier est qu'elle ose être vraie. Le deuxième est qu'elle est capable d'agir contrairement à ses sentiments, c'est-à-dire de séparer son esprit de son cœur (« si j'ai des sentiments qui vous déplaisent, du moins je ne vous déplairai jamais par mes actions... ») (14).

Or, dans le code social de cette époque, et tel qu'il devait être défini pour longtemps encore, ces deux vertus sont essentiellement viriles.

Il s'ensuit donc que la princesse de Clèves éveille l'admiration beaucoup plus parce qu'elle est « honnête homme » que parce qu'elle est « honnête femme ». C'est aussi pour cette raison qu'elle provoque d'irréparables catastrophes. Il semble que le prudent Rousseau qui écrivait : « Toutes les femmes à grands talents n'en imposent jamais qu'aux sots... » (et qui mérita pour cette seule phrase de passer tout son temps de purgatoire avec Thérèse Levasseur...) avait vu cette question quand il s'écriait avec une si réjouissante emphase :

« Croyez-moi, mère judicieuse, ne faites point de votre fille un honnête homme, comme pour donner un démenti à la nature;

(on voit la pétition de principe)

faites-en une honnête femme, et soyez sûre qu'elle en vaudra mieux pour elle et pour nous. »

A quoi il faut joindre cette remarque intéressante qui rapproche la galante Ninon de Lenclos de la princesse de Clèves : « Aussi Mlle de l'Enclos a-t-elle passé pour un prodige. Dans le mépris des vertus de son sexe, elle avait, dit-on, conservé celles du nôtre : on vante sa franchise, sa droiture, la sûreté de son commerce, sa fidélité dans l'amitié; enfin pour achever le tableau de sa gloire, on dit qu'elle s'était faite homme... A la bonne heure. Mais avec toute sa haute réputation, je n'aurais pas plus voulu de cet homme-là pour mon ami que pour ma maîtresse. »

Il suffit de lire ce texte à l'envers pour y trouver le portrait-robot de la femme idéale selon Rousseau : dissimulée, hypocrite, de mauvaise foi dans les relations et traîtresse en amitié. Voilà sans doute ce qui est « naturel »...

Mais Ninon de Lenclos et la princesse de Clèves ont passé dans la légende pour *ne pas* s'être conformées au modèle qui leur était proposé. Cependant, si grâce à ses vertus viriles, Mme de Clèves a réussi une grève de l'éducation féminine perlée et concluante, une autre femme belle et riche fera une tentative intéressante de grève sur le tas.

C'est que les temps ont changé. Le vent cette fois vient d'Amérique; Zelda Fitzgerald appelle les pompiers en pleine nuit :

— Où est le feu ? demande le capitaine.

— Ici, dit Zelda en désignant son bas-ventre.

Par cette éblouissante ellipse qui, en confondant volontairement le propre et le figuré (mais non pas dans le domaine de l'art et stupidement comme Mme Verdurin) assume le destin linguistique de la femme, Zelda repousse à la fois l'éducation de l'honnête homme (qui veut qu'on ne dérange pas inutilement les pompiers) et celle de l'honnête femme qui veut qu'on se taise sur ses désirs physiques. C'est sans aucun doute dans la ligne de Zelda Fitzgerald qu'il faut placer la plupart des mouvements féministes actuels. On ne peut pas leur donner tort. L'éducation dispensée jusqu'à présent aux femmes n'a été qu'une ignoble parodie par où était transmise, non pas la culture, mais la contre-culture, dans un but d'asservissement et non de libération.

Cependant Zelda Fitzgerald, malgré ses dons d'écrivain, ne réussira pas. Son mari — quoique très amoureux d'elle — et peut-être pour cette raison, fera tout pour l'en empêcher. Elle ne parviendra pas à dégager sa personnalité et elle terminera sa vie aliénée dans un asile de fous.

Qu'elle ait cru en son éducation (comme la princesse de Clèves) ou qu'elle n'y ait pas cru (comme Zelda Fitzgerald), la femme a vécu comme un malheureux animal, torturé s'il tombe dans un piège, et forcé s'il n'y tombe pas.

Qu'elle ait fait taire ses désirs, et elle s'est trouvée spoliée de sa propre vie; qu'elle les ait laissés s'exprimer et ait tenté l'aventure dans le sens viril du terme (il faut préciser, puisque les mots même la trahissent), et elle a vu se fermer toutes les portes devant elle, à moins que par le mensonge et la dissimulation elle n'ait mérité le mépris dont on est si heureux de pouvoir l'accabler.

L'étrange est que le schème ait été le même dans presque toutes les sociétés.

Ainsi, à Rome, si l'on en croit un texte de Dion Cassius (13), Caton, lors des discussions concernant l'abrogation d'une loi somptuaire, la loi Oppia, aurait dit ceci :

« Que les femmes ne se glorifient donc ni d'or ni de pierres précieuses, ni de vêtements à fleurs, ni de pourpre d'Amorgos, mais de vertu, d'amour conjugal, d'affection maternelle, d'obéissance, de modération, de nos lois établies, de nos exploits, de nos victoires, de nos trophées... » et il se serait vu répondre ironiquement par Valerius — conscient déjà du danger qui pouvait survenir à la société virile si les honnêtes femmes devenaient aussi « honnêtes hommes », mais prétendant cependant avec hypocrisie défendre la cause féministe : « Mais toi, Caton, si tu es excédé par la parure des femmes et si tu veux faire un acte grand et sage, fais-les tondre, fais leur revêtir les tuniques courtes sans manches, et, par Jupiter, arme-les, mets-les d'autorité à cheval s'il te plaît pour les emmener en Ibérie afin qu'elles participent désormais à nos assemblées et que nous les ayons avec nous... »

En d'autres termes : mieux vaut encore que l'attention des femmes soit tournée vers des futilités plutôt que risquer de les voir partager le pouvoir.

L'éducation des femmes se heurte toujours au même obstacle : il faut qu'elle soit sérieuse, *mais seulement jusqu'à un certain point,* et celles qui n'ont pas vu cette limite, sortent de l'ordre autant que celles qui n'ont pas d'éducation du tout. Aussi n'est-on pas surpris de trouver cette observation chez Claude Lévi-Strauss qui conclut après avoir étudié les mythes de la fille « folle de miel », celle qui dans la société étudiée est considérée comme « mal élevée » :

« Le côté " malheurs de Sophie " de l'histoire de la fille folle de miel ne doit pas nous faire illusion. En dépit d'une fadeur apparente qui explique le peu d'attention prêté jusqu'ici à son mythe, le personnage assume, à lui tout seul, le destin d'une moitié de l'espèce humaine parvenue à cet instant fatal où va l'atteindre une incapacité dont, aujourd'hui encore, les conséquences ne sont pas effacées mais qui, suggèrent *hypocritement* (*) les mythes, eût été sans doute évitable si une demoiselle intempérante avait su faire taire ses appétits. »

Si, de l'aveu même de l'ethnologue, les mythes des sauvages

(*) Souligné par nous.

d'Amérique sont hypocrites dès qu'il s'agit de la femme, où peut-on espérer trouver l'honnêteté ? Et l'hypocrisie n'est-elle pas exactement le masque par où les hommes, dans toutes les sociétés, ont cherché à réduire les femmes, car leurs seules forces n'y auraient pas suffi ?

Les hommes qui improvisent sur la scène sociale ont besoin d'un public admiratif et éberlué. C'est *dans la mesure* où les femmes ignorent la machinerie du spectacle et les subtilités du langage qu'elles *croiront* au spectacle au point de le confondre avec la réalité, confusion reflétée par celle du propre et du figuré.

On peut conclure de ces différentes observations que le langage est réprimé chez la femme dès son enfance par son éducation, et que, si par hasard il n'en est pas ainsi, elle accède encore à un langage qui n'est pas le sien, un langage d'hommes, aliénant par définition.

Il n'est donc pas possible d'affirmer, comme certains bien intentionnés peut-être, prétendent le faire aujourd'hui, que la culture permet de « choisir son sexe mental », au contraire, comme l'a écrit Julia Kristeva (16) le langage de la femme « est un langage qui est toujours celui des autres : entre ces deux bords du « pas encore » et du « pas cela », sur la lancée d'une hétérogénéité informulable ou bien perdue comme telle dès que formulée... ».

d'Amérique sont hypocrites dès qu'il s'agit de la lutte, on peut-on espérer trouver l'honnêteté ? L'hypocrisie n'est-elle pas exactement le masque par où les hommes, dans [illegible] les femmes, sur leurs [illegible] n'osent [illegible]

La [illegible] sur la scène [illegible] C'est [illegible] la mesure où la [illegible] du spectacle et les subtilités du langage [illegible] spectateur [illegible] confusion [illegible]

On [illegible] de [illegible] que la [illegible] la [illegible] pas [illegible] par hasard [illegible] sinon elle [illegible] à un langage qui n'est pas le sien, un langage [illegible] par définition.

[illegible] d'autant [illegible] sur lui [illegible] Julia Kristeva(11) le langage [illegible] langage qui est toujours celui des autres [illegible] pas été [illegible] ou bien [illegible] que [illegible]

II

LES VOLEUSES DE LANGUE

> « C'est féminin d'être oblique. Ce n'est pas de la tricherie. C'est la peur d'être jugé. »
>
> Anaïs NIN.

Il est presque impossible de s'imaginer aujourd'hui les difficultés que rencontrèrent les premières femmes qui cherchèrent à s'instruire dans un monde où les autres savaient à peine lire.

Stendhal, en 1819, avait parfaitement compris que l'évolution ne pouvait se faire qu'en bloc. Il écrit dans *De l'amour* (1) : « Si une telle révolution demande plusieurs siècles, c'est que par un hasard bien funeste toutes les premières expériences doivent nécessairement contredire la vérité. Eclairez l'esprit d'une jeune fille, formez son caractère, donnez-lui enfin une bonne éducation dans le vrai sens du mot : s'apercevant tôt ou tard de sa supériorité sur les autres femmes, elle devient pédante, c'est-à-dire l'être le plus désagréable et le plus dégradé qui existe au monde. Il n'est aucun de nous qui ne préférât, pour passer la vie avec elle, une servante à une femme savante... »

Stendhal aurait pu ajouter que même si la jeune fille ne devenait pas pédante, elle se verrait souvent préférer des sottes, si rassurantes pour la sécurité masculine et traiter, comme Mme de La Fayette, de « femme savante »...

Mais Stendhal avait aussi parfaitement compris que la femme — éduquée ou non — n'est pas plus « naturelle » que l'homme :

« Plantez un jeune arbre au milieu d'une épaisse forêt, privé d'air et de soleil par ses voisins, ses feuilles seront étiolées, il prendra une forme élancée et ridicule *qui n'est pas celle de la nature.* Il faut planter à la fois toute la forêt. Quelle est la femme qui s'enorgueillit de savoir lire ?

Des pédants nous répètent depuis deux mille ans que les femmes ont l'esprit plus vif et les hommes plus de solidité, que les femmes ont plus de délicatesse dans les idées et les hommes plus de force d'attention. Un badaud de Paris qui se promenait autrefois dans les jardins de Versailles concluait aussi de ce qu'il voyait que les arbres naissent taillés. »

Pourtant Stendhal, assez audacieux pour voir que la condition des femmes était comparable à celle des nègres d'Amérique, et que « tous les génies qui naissent femmes sont perdus pour le bonheur du public » écrivait :

« Imprimer, pour une femme de moins de cinquante ans, c'est mettre son bonheur à la plus terrible des loteries; si elle a le bonheur d'avoir un amant, elle commencera par le perdre.

Je ne vois qu'une exception : c'est une femme qui fait des livres pour nourrir ou élever sa famille. Alors elle doit toujours se retrancher dans l'intérêt d'argent en parlant de ses ouvrages, et dire, par exemple à un chef d'escadron :

« Votre état vous donne quatre mille francs par an, et moi, avec mes deux traductions de l'anglais, j'ai pu, l'année dernière, consacrer trois mille cinq cents francs de plus à l'éducation de mes deux fils. »

La femme tout « excusée » qu'elle soit d'imprimer, n'a droit qu'aux « traductions de l'anglais », ellipse bien faite pour montrer qu'elle n'accède pas au langage directement, et encore est-elle « autorisée à travailler » pour l'éducation des « fils ». Des filles, point de nouvelles... On comprend dès lors pourquoi George Sand a cherché par tous les moyens à convaincre ses lecteurs qu'elle écrivait pour gagner sa vie... Mais poursuivons :

« Hors de là, une femme doit imprimer comme le baron d'Holbach ou Mme de La Fayette; leurs meilleurs amis l'ignoraient. Publier un livre, ne peut être sans inconvénient que pour une *fille;* le vulgaire, pouvant la mépriser à son aise à cause de son état, la portera aux nues à cause de son talent, et même s'engouera de ce talent. »

Le ton normatif est ici admirable : une femme « doit »... Qui décide pour elle ? Stendhal, évidemment. Personne n'explique mieux qu'un homme éclairé combien il est nécessaire de pouvoir mépriser une femme et par quel chemin la critique se porte sur sa personne plutôt que sur ses œuvres.

Si ce texte a été produit vers 1820 par un homme désireux de favoriser l'évolution des femmes, comment s'étonner qu'au XVIIe siècle, Mme de La Fayette ait écrit à Ménage (2) :

« *La Princesse de Montpensier* court le monde, mais, par bonheur pas sous mon nom. Je vous conjure, si vous en entendez parler, de faire bien comme si vous ne l'aviez jamais vue et de nier qu'elle vienne de moi si, par hasard, on le disait. »

Stendhal nous a donc parfaitement instruit des deux difficultés majeures que rencontrent les premières femmes écrivains : il faut voler la culture sans être vue de peur de passer pour savante, et si l'on veut écrire, il faut encore se cacher.

Ainsi, dans le Japon du Xe siècle, la petite Dame Murazaki s'introduisait-elle subrepticement dans la salle où le chinois était enseigné à son frère, tandis qu'à Paris, sept siècles plus tard, Mme de La Fayette apprenait discrètement le latin de son ami Ménage.

Quelques années plus tard, on trouve dans un pamphlet son nom de jeune fille (de La Vergne) associé à celui de la déesse romaine du vol, Lavernia : et en effet, en apprenant le latin, Mme de La Fayette avait volé la culture.

Mais pourquoi — par une opinion qui demeure plus répandue aujourd'hui qu'on ne croit — le savoir est-il détesté chez les femmes ? Ici apparaît bien clairement le caractère ambigu de la culture : ignorantes, les femmes peuvent être séduites et utilisées. C'est seulement ainsi que, privées de jugement, elles deviennent ces alliées muettes, prêtes à tout accepter et à tout subir : sorties de la perpétuelle enfance, elles voient, elles disent et elles refusent.

Pourtant, il y a quelque chose de vrai dans cette notion que le savoir « déféminise ». C'est que nécessairement la femme qui apprend s'aliène dans une culture virile étrangère et où les seuls modèles qui s'offrent à elle sont fatalement des modèles virils.

Nos voleuses donc, pour ne pas sortir de l'ordre, dissimulent leurs larcins, et, dans toute la mesure du possible, se dissimulent elles-mêmes.

Pour cela, pas de meilleur moyen que de se conformer au destin de toutes les autres femmes, c'est-à-dire de se marier. Cependant les premières femmes qui écrivent, si elles sont mariées, sont presque toutes veuves ou séparées.

Dame Murasaki et la marquise de Sévigné, veuves, prennent bien soin de ne pas se remarier. Mme de La Fayette renvoie son mari en Auvergne, Mme de Staël vit séparée du sien. George Sand et Flora Tristan sont toutes deux divorcées. A cela on peut proposer différentes explications : l'une est que le chagrin qu'elles ressentent de cette situation pousse ces femmes à s'exprimer. L'autre — qui paraît plus plausible — est que la présence d'un mari, quel qu'il soit, opère peu à peu une dépersonnalisation impossible à surmonter.

On peut aussi proposer que les hommes se détournent d'une femme dont ils pressentent l'intelligence (et l'esprit contestataire, aussi feutré soit-il) ou encore que ces femmes, devenues entièrement lucides, ne peuvent plus accepter — au moins à titre de mari — les hommes tels qu'ils sont et tels qu'ils se conduisent.

En tout cas, le droit a fourni longtemps un modèle idéal de ce phénomène : la femme — qui par un vieil usage perd encore aujourd'hui son nom quand elle se marie — n'a-t-elle pas aussi, pendant des millénaires, perdu par cet acte toute capacité juridique, comme si le mariage faisait naître en elle une imbécillité (imbecillitas sexus) qui n'apparaîtrait pas chez les célibataires ?

Le droit, pour une fois, serait-il en conformité avec le réel, et l'insuffisance millénaire de la femme ne proviendrait-elle que de la présence d'un mari ?

En tout cas ces pionnières prudentes et géniales, s'étant mises dans une condition double, à la fois dissimulées par une position sociale semblable à celle des autres femmes, mais libres en fait, n'avaient pas encore pour cela résolu les sourdes équations que posait l'exécution d'une œuvre :

Que faut-il dire ?

Que faut-il taire ?

Et surtout : quel langage faut-il adopter pour se faire entendre ?

Il devient ici passionnant de comparer Mme de La Fayette et Dame Murasaki.

Toutes deux sont de petite noblesse, peu fortunées et seules. Elles vivent à la Cour d'un souverain puissant dont elles ont su se concilier l'amitié. L'empereur du Japon charge Dame Murasaki de l'éducation de sa propre fille et Louis XIV invite Mme de La Fayette à visiter Versailles en chantier dans son carrosse. Aucune cependant n'est soupçonnée d'être la favorite du Prince. Elles sont toutes deux trop fines pour cela et elles recherchent aussi la protection des reines et des princesses. Elles l'obtiennent : l'impératrice Akiko s'attache à Dame Murasaki et Mme de La Fayette devient l'amie d'Henriette d'Angleterre.

Toutes deux vivent dans des sociétés aristocratiques et policées et parmi d'autres femmes cultivées. Mme de La Fayette est l'amie de la marquise de Sévigné, de Mme de Rambouillet et de Mlle de Scudéry. D'un autre côté, à la cour de l'empereur du Japon, Dame Murasaki connaît parmi les dames d'honneur Sei Shonagon, auteur du livre Makura no Soshi et Izumi Shikibu, l'un des plus célèbres poètes du temps. Voici comment elle s'en exprime dans son journal :

« Izumi Shikibu est un auteur amusant mais il y a quelque chose en elle qui ne me satisfait pas. Elle a un don certain pour improviser des compositions légères au fil de son pinceau, mais en poésie, il lui faut ou bien un sujet intéressant ou bien quelque modèle classique à imiter. En vérité, il ne semble pas qu'au fond d'elle-même, elle soit poète le moins du monde.

Cependant, dans les impromptus qu'elle déclame, il y a toujours quelque chose de beau ou de frappant mais je doute qu'elle soit capable de dire rien d'intéressant sur les vers des autres. Elle n'est pas assez intelligente pour cela. C'est curieux : en l'entendant parler vous penseriez certainement qu'il y a en elle une touche de poésie. Et pourtant elle ne semble rien produire qui puisse être appelé poésie véritable... »

Quant à Sei Shonagon : « Son plus grand plaisir consiste à choquer; et comme chacune de ses excentricités nouvelles ne devient que trop vite habituelle, elle est poussée à des méthodes de plus en plus outrageuses pour attirer l'attention. C'était jadis une personne d'un goût raffiné mais maintenant, elle ne peut s'empêcher de s'abandonner — même quand les circonstances s'y prêtent le moins, à toute fantaisie que lui suggère l'instant. Bientôt elle ne pourra plus prétendre être traitée comme une personne digne de confiance et quand elle sera trop vieille pour assumer ses fonctions, je ne sais vraiment pas ce qu'il en adviendra... »

Ces deux textes prouvent qu'en l'an mil, Dame Murasaki avait parfaitement saisi les deux faces du danger qui menace la femme écrivain. La première est le conformisme (« il lui faut ou bien un sujet intéressant ou bien quelque modèle classique... ») et la tentation est grande en effet de s'aliéner dans les valeurs culturelles existantes, de ne pas inventer et de ne briller que par l'élégance et la facilité.

Or, de toute évidence, dans l'esprit de Dame Murasaki, la poésie véritable est étroitement liée à l'originalité.

La deuxième face du danger — inverse de la première — est l'excentricité. Sei Shonagon aura d'ailleurs, selon la tradition une fin tout aussi terrible que celle de Zelda Fitzgerald (3) :

« Elle apparut un jour du fond d'un taudis démoli à des courtisans qui se promenaient. Elle qui avait été réputée pour sa beauté et son esprit sous le règne précédent, était devenue une vieille femme incroyablement maigre; elle passa la tête dans l'embrasure de la porte et s'écria : « Voulez-vous acheter des os ? De vieux haillons et de vieux os ? » Et elle disparut aussitôt... »

C'est que l'excentricité — comme l'observe pertinemment Dame Murasaki, amène avec elle la déconsidération et prive ainsi les œuvres d'efficacité.

Voici donc dénotée l'opposition féminine par excellence :
conformisme/excentricité,
acceptation des valeurs viriles/refus de toutes les valeurs.

Quelle que soit l'attitude choisie, la femme se voue à la fois au silence et au bavardage dans la mesure où elle ne peut promouvoir aucune valeur nouvelle.

Comment sortir de cette impasse ?

Si les propos de Mme de La Fayette sont moins explicites, le cheminement de son œuvre prouve qu'elle s'est livrée à la même réflexion : passer de *Zaïde* à *La Princesse de Clèves,* témoigne d'un abandon des valeurs littéraires du temps — le roman à épisodes, le roman d'action, viril par excellence — pour promouvoir une forme intériorisée, affective, c'est-à-dire typiquement féminine, dans la mesure où la « féminité » a été élaborée dans ce sens.

La Princesse de Clèves, par rapport au roman d'action, est le livre du vide.

Cependant, comme Dame Murasaki, Mme de La Fayette a le souci de ne pas choquer, de ne pas tomber dans l'excentricité. Or il est très difficile d'innover sans se faire remarquer. Les deux femmes choisissent le même procédé : leurs livres seront codés.

Toutes deux utilisent la convention qui veut qu'un homme puisse séduire plusieurs femmes sans étonner et elles s'en servent à des fins nouvelles.

Ainsi le charmant prince Genji occupera-t-il tous ses loisirs, qui sont nombreux, à s'introduire chez les femmes les plus variées, paysannes, princesses, suivantes et mêmes nonnes bouddhistes, mais ce ne sera là qu'un moyen d'amener la description du destin de chacune d'elles, toujours injuste, toujours catastrophique, sans excepter celui de l'épouse légitime, la princesse Aoi qui finira par mourir de chagrin.

Madame de La Fayette, dans Zaïde, emploie exactement le même procédé lorsqu'elle décrit les conquêtes du prince Alamir. Alors que les lecteurs qui n'ont pas déchiffré véritablement l'ouvrage (et il semble qu'ils soient nombreux puisque certains soutiennent même à présent qu'il a été partiellement au moins écrit par un homme) ne voient dans ces différents épisodes que la reprise des thèmes courants de l'époque, il est clair pourtant que Madame de La Fayette n'a pas eu d'autre but que de former une sorte de catalogue dont aucune femme ne serait exclue, ni l'esclave, ni la maîtresse, ni la princesse, ni la suivante, ni la jeune fille, ni la veuve, de tous les désespoirs féminins dus à la sécheresse de cœur et à la mauvaise foi des hommes.

Mais dans *La Princesse de Clèves,* le procédé est perfectionné : on y verra *symétriquement* le malheur de la Reine de France, épouse légitime du roi, et de la Duchesse de Valentinois, sa favorite. Décidément, aucune grandeur ne met à l'abri de l'affreuse condition : la reine est la femme la plus humiliée de France, la favorite, la plus menacée et la plus inquiète. Le destin de Marie Stuart, fille d'une reine assassinée par son propre mari, future victime des hommes qui se l'arracheront, n'est pas plus enviable que celui de Madame de Tournon, obligée pour sa propre défense au mensonge et à l'hypocrisie.

On discute aujourd'hui encore du sens de ces « digressions », mais il est clair : la princesse de Clèves poursuit sa fatale aventure au milieu d'une foule d'autres femmes vouées au malheur. Elle est brodée au premier plan de la tapisserie tandis que derrière elle, dans des tons plus atténués, se forme le cortège infini de toutes les femmes souffrantes.

La Japonaise, elle, peint d'abord, dans le dédale des écrans, des jardins fleuris, et le murmure des chuchotements étouffés, la foule des femmes séduites et abandonnées pour en arriver enfin (de même que le Western se termine par le duel des deux héros) à la maîtresse en titre de Genji, Dame Rokujo, aussi humiliée que son épouse, la princesse Aoi. Les deux femmes sont jalouses de quelque chose que ne possède aucune d'elle : l'amour de Genji. Ici Dame Murasaki déploie son génie du fantastique : la jalousie de Rokujo prend une vie autonome, devient une force indépendante de sa propriétaire, et va frapper la princesse Aoi dont la dignité a dissimulé jusqu'à ce que sa mort le révèle, l'amour qu'elle portait à son mari.

Dans cette double série de vies désastreuses, il existe pourtant dans les deux œuvres des exceptions significatives.

La première est Zaïde elle-même; mais l'histoire se termine précisément au moment où son mariage est célébré. C'est que Zaïde représente l'avenir, et voici pourquoi : au début du livre Zaïde parle grec et Consalve, espagnol. En effet, l'homme et la femme ne parlent pas le même langage. Chaque mot a pour l'un et pour l'autre un sens différent, si bien que chacun semble toujours mentir à l'autre et que la méfiance s'empare bientôt de chacun d'eux. Au premier chef, l'amour n'est pas entendu de la même manière par les uns et par les autres, amour est un mot capricieux qui change de genre avec le nombre, et les plaisanteries que font entre eux les hommes sur ce sujet sont si différentes de celles des femmes qu'il est difficile pour les uns et pour les autres de n'être pas surpris quand ils écoutent une conversation qui ne leur est pas destinée.

Chaque sexe possède une innocence doublée de perfidie qui étonne l'autre et l'épouvante. La subtilité langagière de l'homme ne s'exerce pas au même endroit que celle de la femme et celle-ci voit souvent ce que précisément on cherche à lui cacher, aussi, pour ne pas irriter, s'exprime-t-elle souvent en cotoyant la langue, sans l'aborder de front, par sous-entendus, ellipses et antiphrases. Elle contourne son sujet au lieu de le prendre au corps et lorsqu'elle se moque d'un homme avec une autre femme, le référent est un savoir commun — quoique toujours inexprimé — de ce que les hommes sont en vérité, derrière leurs belles paroles et leurs belles apparences.

Il est donc bien vrai que l'homme parle espagnol quand la femme parle grec et la chance de Zaïde sera que, tandis qu'elle apprend l'espagnol, Consalve apprenne le grec.

C'est le couple de l'avenir : chacun connaît la langue de l'autre.

La deuxième exception est celle de Belasire (4) qui a le courage de refuser un homme qu'elle aime et dont elle est aimée pour cette seule raison que sa jalousie (qui évoque déjà celle de Swann et de Marcel Proust) témoigne qu'il la traite en objet de propriété et non en personne raisonnable.

Belasire se retirera du monde, et, sans trouver le bonheur, trouvera au moins la paix.

Mais si Alphonse — l'amant de Belasire — consacre sa vie à méditer sur ses erreurs de conduite, Madame de La Fayette se montre moins optimiste en ce qui concerne le duc de Nemours qui, après un temps d'arrêt, et sans que rien signale chez lui la moindre réflexion, retournera bientôt à ses plaisirs sans avoir compris que la cause profonde — bien plus déterminante que la mort du prince — de l'éloignement de Madame de Clèves — est sa propre légèreté.

Or, parmi les victimes du prince Genji, il existe une personne nommée Murasaki comme l'auteur (ce nom signifie pourpre en Japonais) qui ne souffre nullement des trahisons du prince et qui pourtant l'aime passionnément.

C'est une petite fille de huit ans adoptée par Genji.

Sa situation reproduit fidèlement celle de Dame Murasaki : elle aussi aime son héros mais elle n'en souffre pas. Elle a pris la bonne part de l'amour et laissé la mauvaise. Son enfance est à l'image de celle de l'artiste qui pose toujours sur le monde un regard neuf. Tandis que, grâce à son rôle de créatrice, Dame Murasaki échappe aux ravages de la sexualité, la petite Murasaki y échappe à son tour à cause de son jeune âge.

On peut bien affirmer qu'ici, Dame Murasaki a *mis en abyme* son propre rêve : un amour qui serait toujours en dehors de l'amour et qui pour cette raison ne pourrait pas finir.

Le seul moment, où la femme peut être heureuse en amour, c'est l'enfance (pensée qui rejoint celle d'André Breton) car ensuite, elle sera toujours blessée par la dureté des hommes. De ceci témoigne cette réflexion désabusée : (5)

« Elle n'aurait pas pu imaginer de plus charmant compagnon. Mais il se pourrait que dans l'avenir, elle ne restât pas toujours aussi confiante... »

Cependant, si pour André Breton, la femme-enfant est préférable parce qu'elle n'a pas de raison, pour Dame Murasaki, elle est préférable parce qu'elle a encore toute la sienne. Elle est intacte parce que les hommes ne l'ont pas encore détruite.

La petite Murasaki a attiré l'attention du Prince parce qu'elle ressemble à sa tante, la belle Fujisubo, favorite de l'Empereur et dont le nom évoque celui d'une fleur, Fuji, pourpre elle aussi. Ainsi, chaque amour éveillé — et Genji a aimé Fujisubo — porte-t-il en lui le germe de ce qui viendra le remplacer et le trahir. Le paysage de l'amour, aussi varié soit-il, ne comporte qu'une seule couleur, la pourpre : Murasaki.

Aussi, quand il commence à faire sa cour à Murasaki qui a un peu grandi, le prince écrit-il une partie de poème No-Musashi, que voici :

« Bien que je ne connaisse pas ce lieu,
Quand ils m'ont dit que c'était la steppe Musashi,
J'ai pensé : comment cela pourrait-il être autre chose
Puisque toute l'herbe ici est teinte de pourpre. »

La steppe pourpre désigne évidemment l'amour. D'ailleurs on retrouve cette analogie entre la pourpre et l'amour dans les contextes les plus différents : par exemple le *Cantique des Cantiques* dans le commentaire de Saint Jean de la Croix : « Ce lit couvert de fleurs est, au dire de l'âme, *tendu de pourpre* parce que toutes les richesses, tous les biens qu'on y trouve, sont fondés uniquement sur la charité et l'amour du roi des cieux » ou encore dans « *Les angoisses douloureuses d'Hélisenne de Crenne :* « Par passionnée fascherie, inclinay mon chef en terre, comme fait une violette sa couleur *purpurine* quand elle est abbatue du fort vent Boreas... »

En tout cas, Murasaki « était ravie par la manière dont le Prince Genji écrivait à larges traits sur un fond marqué de pourpre. D'une écriture plus fine était noté ce poème :

« Bien que je ne puisse voir la fleur
j'aime pourtant son rejet,
la plante couverte de rosée
qui croît dans la steppe Musashi... »

La fleur est ici la tante Fujisubo, car l'amour, comme les individus, a sa filiation propre, et la plante matinale n'est autre que la petite-fille, semblable à son auteur par sa couleur, mais partageant avec sa tante sa qualité de fleur, de femme aimée par le Prince Genji et menacée de se faner quand elle cessera de l'être.

A ce beau discours, la petite-fille répond d'un pinceau encore incertain :

« Je ne sais ce qui vous a mis Musashi dans la tête et je suis très étonnée. Quelle est la plante dont vous dites qu'elle est de ma famille ? »

En effet, Murasaki, sensible pourtant à la belle couleur pourpre du papier, ne connaît ni l'amour ni le langage, elle s'empresse donc de confondre le propre et le figuré, de prendre le figuré pour le propre, et par un raccourci beaucoup plus poétique encore que le cheminement tortueux et culturel du Prince Genji, elle se voit aussitôt apparentée *pour de vrai* à une plante, situation beaucoup plus intéressante que celle de nièce de Fujisubo...

Murasaki — qui *est* amour et poésie — ne peut ni les comprendre ni les exprimer, et sans doute est-il vrai qu'il est impossible de vivre une chose et de la comprendre en même temps.

L'amour absolu ignore même le désir et la vraie poésie ignore la poésie. Dès lors, nous voyons pourquoi la femme est réputée muette et sans désir, pourquoi son éducation est négligée : si elle comprenait elle cesserait d'aimer, si elle s'exprimait, elle cesserait d'être.

Cependant une opinion plus moderne et plus virile (sans que ce terme implique la moindre louange) veut au contraire que l'amour soit désir et le langage, communication. La femme a dû s'exiler du domaine du silence * comme d'une terre ingrate qui lui a valu l'injustice et le malheur et dont seul le poète conserve le souvenir :

« Nous voulons explorer la bonté, contrée
énorme où tout se tait... »

Cependant, Murasaki, comme Zaïde, se mariera à la fin du livre et nous ne connaîtrons pas son destin de femme.

(*) Cf. Marguerite Duras et Xavière Gauthier, *Les Parleuses,* éd. de Minuit 1974, p. 49 : X. G. « Je crois aussi qu'il n'y a qu'une femme qui peut faire entendre le silence. »

Mais il restait aux deux écrivains un problème délicat à résoudre : comment figurer les héros masculins ?

Il fallait qu'ils fussent suffisamment conformes aux usages du temps pour ne pas éveiller la méfiance par une excessive originalité, mais il fallait aussi qu'ils fussent susceptibles de transmettre un message.

Mme de La Fayette se livre dans *La Princesse de Clèves* à une tentative intéressante : elle divise son héros en deux. Si le duc de Nemours est supérieur aux autres hommes, le prince de Clèves, lui, se contente d'être *différent*.

Si le duc de Nemours réussit à merveille tout ce qu'il entreprend, le prince de Clèves signale sa personnalité par ce qu'il ne fait pas : il refuse d'user des droits que lui donne le mariage, il refuse de provoquer en duel le duc de Nemours et il refuse enfin de continuer à vivre lorsqu'il est assuré que la princesse en aime un autre.

Tous ces refus — qui donnent sa dimension au prince — ne signifient pas autre chose que l'acceptation du vide. Le prince est un homme féminisé, ou plutôt, l'un de ces rares individus qui possèdent en eux les deux mondes, celui du plein et celui du vide, celui de la parole et celui du silence.

Si Mme de Clèves est « honnête homme », on peut dire aussi justement que son mari est « honnête femme », ces deux êtres dépassent chacun leur sexe car ils détiennent en eux les vertus de l'autre.

A l'encontre du duc de Nemours à qui pourront s'identifier les lecteurs vaniteux, le prince de Clèves est le rêve de Mme de La Fayette, l'homme de l'avenir qu'elle espère lorsque les hommes auront un cœur aussi délicat que celui des femmes, et les femmes un esprit aussi décidé que celui des hommes.

Ainsi la vérité est dite sans blesser (en quoi Mme de La Fayette se montre aussi honnête homme que son héroïne) et elle est réservée à ceux qui sauront la lire.

Dame Murasaki, elle, n'a qu'un héros : Genji.

Il a d'abord été inventé pour la consoler de la réalité grossière : les courtisans qu'elle fréquente à la cour et dont voici quelques descriptions extraites de son journal :

« Le vieux ministre de la Droite, le seigneur Akimitsu vint en titubant et alla donner dans le paravent derrière lequel nous étions assises en y faisant un trou. Ce qui me frappa, c'était qu'il était beaucoup trop vieux pour se permettre ce genre de choses... » Mais Dame Murasaki n'est pas plus indulgente pour les jeunes gens : « Maintenant, les fils du Premier Ministre et d'autres jeunes courtisans firent irruption dans la pièce, un nouveau charivari commença et quand ils apprirent que deux dames se tenaient cachées, ils vinrent nous chercher, balancèrent les paravents derrière lesquels nous étions calfeutrées et nous firent prisonnières... »

Dame Murasaki considère tous ces messieurs avec dédain :

« Aucun d'entre vous ne ressemble le moins du monde à Genji — me dis-je à moi-même, et dans ces conditions, qu'est-ce que Murasaki fait ici ? »

Genji, féminisé par ses manières délicates, l'est aussi par le respect qu'en dépit de ses aventures nombreuses, il porte toujours à l'amour. Certes, ce n'est pas comme le prince de Clèves, un mari parfait (à moins qu'il ne le devienne après avoir épousé Murasaki en deuxièmes noces...) mais le regard qu'il pose sur les femmes est un regard aimant, un regard qui ne transforme pas en objet. Enfin; Genji, d'abord attiré par la princesse Fleur de Safran, silencieuse comme le veut déjà l'usage, s'aperçoit que ce silence ici ne dissimule nullement la poésie ineffable, mais simplement la stupidité : « Comme d'habitude, elle n'avait aucune conversation, et son silence finissait par priver Genji lui-même de la parole... »

Genji est un homme trop distingué pour apprécier le monologue comme les courtisans de l'Empereur du Japon. Il sait distinguer ce qui est conformisme de ce qui est vérité.

A plus de dix siècles d'intervalle, dans deux continents éloignés, l'œuvre de Mme de La Fayette répond comme un écho à celle de Dame Murasaki. Chacun des deux auteurs essaie d'attirer l'attention sur les souffrances des femmes et d'inventer l'homme de l'avenir.

Cependant, si Mme de La Fayette, tout en créant le roman moderne de son temps, se conforme aux exigences d'un classicisme rigoureux, Dame Murasaki reste libre : elle plaisante, elle se moque, elle bouffonne, elle reste inattaquée par la société protocolaire qui l'entoure. Rien ne l'impressionne, et ceci n'exclut pourtant ni la tendresse, ni l'émotion, ni le fantastique qui vient tout naturellement s'intégrer à la vie, alors que les tentatives de Mme de La Fayette pour lui faire une place restent comme figées par le respect qu'elle porte à la raison et par la rigueur de son écriture même.

Si ces deux femmes clairvoyantes se réveillaient aujourd'hui, elles seraient sans doute stupéfiées que, le monde ayant tellement changé, la condition féminine le soit si peu.

III

LE SYSTEME VIRIL

Si la pensée féminine a toujours été occultée, par contre la pensée virile sous toutes ses formes est imprimée dans les apparences du monde. Elle est inscrite dans les choses, dans les formes, dans l'art, dans la pensée, dans les différents systèmes sociaux, avec l'inlassable persistance qui caractérisent les enfants sûrs d'être approuvés par leur mère.

Et la première fonction exigée de la femme, n'est-elle pas celle-ci : approuver ?

Pas d'assassin, pas de bourreau concentrationnaire, pas de monarque dégénéré qui n'ait trouvé d'épouse, le plus souvent dévouée, et aucun tribunal n'a jamais posé cette question : Pourquoi n'avez-vous pas quitté cet homme ?

Lorsque la femme pénètre enfin — et toujours de biais — dans ce mystérieux monde viril dont elle a été si longtemps exclue, siège de tant d'aventures merveilleuses contées dans les livres et les films, entouré par l'aura d'une culture si longtemps défendue, elle est frappée par le fait que l'abstraction y domine sous deux espèces : le système et la hiérarchie.

Que la pensée de l'homme reflète l'ordre de structures qui lui sont extérieures, cela est possible, mais, au malaise qu'elle éprouve à les contempler, la femme sait bien que celles-ci lui sont parfaitement étrangères.

Il est remarquable par exemple que le premier sens du mot système, défini par le dictionnaire Robert, soit celui-ci : « Ensemble organisé d'éléments intellectuels. » C'est seulement le deuxième sens qui donnera : « Ensemble possédant une structure ou constituant un tout organique. »

La première acception est mentale et abstraite, c'est seulement la deuxième qui vise la réalité objective, telle qu'elle se comporte *en dehors* de la vision de l'homme.

L'homme se préfère à ce qui l'entoure au point de faire passer ses catégories mentales *avant* celles de la réalité objective.

On ne manquera pas cependant d'objecter que si les structures de la matière sont homologues à celles de l'esprit, le mal n'est pas grand : placer l'un avant l'autre revient à une simple question de préséance. Mais cette *préséance,* cette manière de se placer *avant* est précisément ce qui caractérise — non pas seulement la pensée humaniste chrétienne — mais bien la pensée virile tout entière.

De cet acte premier découle une vision du monde, celle qui précisément distingue l'homme de la femme.

La femme, en effet, toujours obligée de *tenir compte* d'autrui, et aussi d'une réalité matérielle à quoi elle échappe moins facilement que l'homme, ne peut que penser un cosmos dont elle n'est pas le centre.

Ceci est la cause de bien des échecs, lorsque, sans préparation autre que technique ou scientifique, elle pénètre dans le monde des hommes. Tout l'étonne : la prolifération des systèmes, économiques, politiques, juridiques, intellectuels, dont chacun se croit déterminant et d'où seule la vie est exclue au profit d'un modèle qui élimine ce qui ne lui est pas conforme.

Dans ce grouillement s'agitent des hommes dont on se demande le plus souvent pourquoi ils occupent une place plutôt qu'une autre, sinon qu'ils y ont été propulsés par cette puissance pathologique semblable à l'homme car, sourde à toute raison, elle ne s'occupe que d'elle-même : la société.

Dans ce monde où chacun s'avance invisiblement masqué, la femme s'imagine qu'enfin elle va pouvoir retirer son voile, mais qu'elle prenne bien garde : ici, elle va perdre ses dernières illusions.

Ce mystère viril qui l'intriguait tellement et sur lequel on lui a tant appris à rêver, auquel on l'a élevée à complaire, n'est autre que, déguisé jusqu'ici par le désir ou le conformisme familial, l'incapacité absolue d'aimer autre chose que soi ou que ses possessions (les femmes et les enfants en faisant occasionnellement partie).

Le travail le plus désintéressé en apparence n'est qu'un empire qui se crée avec un nouveau maître, et pour construire ses nouvelles pyramides, chacun cherche ses esclaves.

Les femmes seront donc souvent les bienvenues. On rira tout bas de leur acharnement à poursuivre un but qui ne leur rapporte rien, à réussir encore à aimer ceux qui les exploitent et surtout à croire en l'immense armure sociale qui a le privilège de donner une apparence utile et vertueuse aux calculs les plus éhontés.

Si la femme reste elle-même, continue à penser en termes d'harmonie et non de lutte, de don et non d'échange, elle se fera impitoyablement écraser.

Si elle adopte les valeurs viriles en cours, la sécheresse et l'impérialisme, elle réussira au prix de sa propre destruction et elle ne manquera pas d'éveiller l'ironie.

Ce qu'elle gagnera sur le plan social, elle le perdra sur le plan privé.

Laisser les femmes participer à la société n'est rien si cela consiste à les spolier de ce qui les rend différentes. Mais les hommes ne peuvent pas même concevoir sans mépris ce qui n'est pas semblable à eux.

Pour fixer les idées et montrer comment fonctionne le système viril, il n'est pas inutile peut-être d'en examiner deux exemples et de les comparer.

Il semble à première vue que rien ne puisse être plus dissemblable du système du droit que le système surréaliste. Seule une femme peut songer à les rapprocher. Voyons donc en action cette pensée infirme :

LE SYSTÈME JURIDIQUE

> « ... les coupables familiarités incriminées à tort en l'occurence étant tout à fait licites dans le pays natal de mon client, la terre des Pharaons... »
>
> James Joyce.

Que ceux qui n'ont nulle idée du droit le figurent comme un gigantesque manteau d'Arlequin où les juristes en exercice s'occupent sans cesse à rajouter ou à raccommoder une pièce.

Au contraire de Pénélope qui travaillait à la lueur des torches nocturnes à défaire la toile tissée la journée, le juriste ne défait jamais : il modifie ou il rajoute.

Avec une patience d'araignée, il consolide toujours, et s'il abroge une loi, ce n'est que lorsque la remplaçante est déjà codifiée. (Ainsi, lorsqu'un homme se décide à divorcer, peut-on généralement affirmer qu'il a déjà trouvé une autre épouse...)

De même que, dans un dictionnaire, chaque mot ne peut être défini qu'avec l'aide d'autres mots, de même, chaque loi ne prend son sens que grâce à l'ensemble du code, qui peut être un code au sens propre comme en France, ou bien un ensemble jurisprudentiel qui en tient lieu comme dans les pays anglo-saxons, la différence pratique n'est pas considérable, d'autant plus qu'aucun juriste, dans aucun pays, ne connaît la totalité des textes en vigueur.

Quel que soit le code — législatif ou jurisprudentiel — il est toujours conçu pour dissimuler le message, et s'il prétend à la justice, il ne signifie que lui-même : la règle.

Ainsi que l'écrivait déjà Montaigne : (1) « Or les loix se maintiennent en credit, non par ce qu'elles sont justes, mais par ce qu'elles sont loix » (étant entendu toutefois que quelques concessions à l'équité sont nécessaires pour obtenir la collaboration des citoyens).

Ici, la hiérarchie atteint une telle perfection qu'elle rejoint une anti-poésie presque merveilleuse. Ce n'est pas seulement les hommes qui en sont l'objet. On ne se contente pas de décrire avec délices la puissance paternelle, maritale, possessive ou magistrale, mais les animaux eux-mêmes sont classés avec soin selon qu'ils sont sauvages ou non, gibiers ou domestiques, et les choses, mobilières ou immobilières, selon la force du lien qui les assujettit à l'homme, sont rangées dans cette nouvelle arche de Noé, très glorieuses celles qui ont la chance d'être objets de propriété, un peu moins fières, celles qui ne sont que possédées, et vouées à un dédain certain, celles qui ne bénéficient que de la possession dite précaire.

On remarquera que cet ordre qui ne fait nul état des liens affectifs qui lient l'homme au monde environnant, reproduit dans les catégories qui enferment les choses, la hiérarchie où il enferme les femmes : les épouses - entourées d'égards comme les châteaux des princes qui nous gouvernent - ont la chance extrême d'être objets de propriété (au moins jusqu'à la vente ou au divorce), les concubines - vouées à la seule possession, ont des droits infiniment moindres (encore est-on reconnaissant à la Cour de Cassation *), quant aux liaisons passagères qui se retrouvent dans la catégorie de la possession dite précaire, autant n'en point parler, elles sont méprisées, comme toujours, par le juriste, ce qui ne se permet que d'être un fait pur et simple...

Cet ordre est secondé — comme tous les systèmes sociaux — par l'habitude (« la coutume »), celle-là même qui fait que l'homme, plus stupide en cela que tel animal qui se laisse mourir lorsque la vie à laquelle il est astreint lui déplaît, finit par ne plus mettre en cause ce dont il a l'usage, ne faisant plus de distinction entre le bon et le mauvais dès le moment qu'il y est habitué, ce qui explique que les régimes les plus révolutionnaires soient peu à peu revenus sans en avoir l'air au droit civil qui précédait leur existence, sans se

(*) C'est la Cour de Cassation qui a décidé d'accorder certains droits aux concubines en matière d'accident du travail.

rendre compte que par ce seul mouvement, ils anéantissaient en grande partie l'innovation qui constituait leur raison d'être.

Le droit déteste la fantaisie. Il ne cède au changement que lorsque la pression sociale devient trop forte, et encore s'arrange-t-il le plus souvent pour récupérer par la bande ce qu'il a été obligé de modifier en apparence.

Ainsi, le code civil, qui reprend à son compte une grande partie des lois qui existaient avant lui, renvoie-t-il explicitement aux textes qui le précédaient pour tout ce dont il ne traite pas lui-même. Le tribunal de Rennes tranche encore de certaines questions selon la coutume de Bretagne et certains adages romains peuvent encore être visés aujourd'hui dans les qualités d'un jugement. Ils ne sont d'ailleurs pas forcément plus mauvais que les lois récentes, souvent même plus faciles à retenir et déjà marqués, ainsi qu'on va le voir, par le génie même du droit qui ne s'est guère modifié.

Prenons par exemple la célèbre formule qui vient de Rome, appliquée dans tous les pays du monde : « Nul n'est censé ignorer la loi. » (« Car — dit Montaigne — c'est la règle des règles, et générale loi des loix, que chacun observe celles du lieu où il est... »)

Et s'il est vrai que l'apparition de la règle en général (telle par exemple que la prohibition de l'inceste) dénote l'apparition de la culture, il est vraisemblable que la présomption selon laquelle cette règle est connue de tous, se situe à l'origine du droit, cheville sans laquelle aucune répression ne serait possible, car alors, le droit se confondrait de manière trop évidente avec l'oppression, il ne pourrait plus être un jeu si chacun était admis à n'en pas connaître les règles.

Reprenons donc cette formule qui est la base de tout l'édifice, traduite exactement du latin : *nemo censetur igno-*

rare legem. Le sujet de la phrase est au sens propre *nul.* C'est l'être humain dans sa négation, procédé habituel qui néantise son adversaire. Il suggère que celui qui n'entre pas dans le système en état de définition s'exclut lui-même de la société des hommes.

A partir du moment où vous ignorez la loi, vous devenez nul, nemo, et il faut toute l'astuce d'Ulysse (ou de Jules Verne) pour voir les avantages qu'on peut trouver à cette situation qui sera choisie ici pour les besoins de la démonstration.

Ce nul est cependant ramené à une vie fictive grâce à la grammaire car il est tout de même le sujet du verbe. Mais ce verbe est passif en français comme en latin. La fonction passive, dans la langue française est celle qui a le pouvoir de rendre anonyme (fonction féminisante par excellence). Ce malheureux nul est donc anéanti une seconde fois par le verbe, d'autant plus perfide qu'il évoque pour l'oreille innocente — non pas comme il devrait, le cens, ce qui recensé et pourrait par là éveiller la défiance — mais au contraire, le sens, ce qui est évident, ce qui ne souffre pas de discussion, et l'emploi du verbe passif (qui s'orne encore d'une négation supplémentaire par rapport au latin) révèle bien la complicité de moyens de la grammaire et de la sémantique, si bien que le lecteur, renvoyé à une sécurité trompeuse, fasciné comme la mouche par l'araignée, ne remarque pas que ce nul qui se permet d'ignorer la loi, vise en vérité toute l'espèce humaine car il n'est pas un seul juriste qui connaisse seulement toutes les lois pénales de son pays, et, traversé une frontière juridique, ne se retrouve dans l'état d'ignorance du dernier des analphabètes.

Il s'agit bien là — à n'en pas douter — d'une présomption dite irréfragable puisque la preuve contraire ne servirait de rien. Or la présomption est définie de la sorte par l'article 1349 du Code civil : « Les présomptions sont des conséquences que la loi ou le magistrat tire d'un fait connu à un fait inconnu. »

Sous le couvert, donc, d'une opération déductive et parfaitement logique, on coule dans un style d'acier un passage discret du nul à l'ignoré par où on intègre dans le système cette phrase qui ne ferait pourtant illusion à personne, si au lieu de s'écrire : « Nul n'est censé ignorer la loi », elle s'écrivait : « Celui qui ignore la loi est censé être nul. » C'est qu'une telle rédaction révélerait le fonctionnement même du système dont la première opération consiste à anéantir ce qui n'est pas lui-même, ce qui est hors de lui et prétend y rester.

Sur cette admirable présomption, modèle d'hypocrisie et d'abstraction, modèle d'une hiérarchie où seul celui qui construit le discours, existe, où le malheureux nul est condamné à savoir ce qu'ignore sans aucun doute l'auteur présomptueux de la présomption même, est fondée la partie la plus importante du droit sur quoi repose notre liberté présumée.

Il ne faut pas s'étonner qu'une absurdité si immense soit rarement commentée mais déchaîne au contraire par sa simplicité un enthousiasme violent. Cette formule a donc été adoptée par tous les droits modernes. La voilà assurée d'une existence quasi-éternelle.

D'ailleurs, ne dit-on pas aussi (toujours en vigueur) : *Error communis facit jus* (l'erreur commune crée le droit), et c'est bien là en effet qu'il trouve sa source la plus sûre, si bien que quatre siècles après Montaigne, à son exemple : « je luy demanderay lors, quelle chose peut estre plus estrange, que de voir un peuple obligé à suivre des loix qu'il n'entendit onques... »

Il n'y a pas eu de grands juristes femmes. C'est tout à leur honneur.

Mais peut-être qu'il existe d'autres hommes qui raisonnent autrement. Eclaircissons ce point. Les poètes par exemple ?

LE SYSTEME SURREALISTE

> « La femme est l'unique vase qui nous reste encore où verser notre idéalité. »
>
> W. GOETHE.

Tel un soleil entouré d'éclatantes planètes et de lointains satellites, André Breton dirige un énorme faisceau lumineux sur tout ce qui, rejeté de la société, y vivait d'une existence marginale et honteuse : visions, coïncidences, prémonitions, folie, et naturellement, femmes, il faudra que tout cela prenne forme et s'organise, ou plutôt un double, un modèle capable de s'insérer dans le monde tel qu'il est.

Passionné mais raisonnable, André Breton a contemplé le fantastique avec intérêt, mais de loin, comme il a contemplé Nadja...

Vision de touriste : entre Blois et Paris, on assigne rendez-vous au Merveilleux, tel Don Juan au Commandeur, et s'il n'est pas présent, le style assurément merveilleux (et en cela tout de même soumis à son objet) y pourvoira.

Afin d'acquérir le « sérieux » qui fait la force des armées, il faudra constituer un système sévère où entreront au pas les images qui auront passé avec succès le conseil de révision.

Le surréalisme empruntera le pire au système du droit sous la forme de procès intentés à ses membres, le pire au système marxiste par l'exclusion qui frappe certains, et le pire au système social par la voie du pur et simple mépris. Il veut sa place parmi les systèmes et il l'obtient.

Malheureusement l'objet de ce système est fantasque. Il joue des tours. La femme aussi. En voici un exemple :

L'héroïne de *L'Amour fou* (2) est une danseuse aquatique, un peu cousine de la Faustine de *Locus Solus.* Elle appartient à l'espèce délicate des sirènes et sa rencontre avec André Breton a été annoncée subtilement par un réseau prémonitoire que l'auteur a capté et décrypté. Ce sont tout d'abord des paroles entendues au hasard dans un restaurant « en pleine occultation de Vénus » : ... « la voix du plongeur soudain : « Ici, l'Ondine » et la réponse exquise, enfantine, à peine soupirée, parfaite : « Ah ! oui, on le fait ici, l'on dîne », et ensuite, le poème Tournesol, écrit plusieurs années auparavant et où André Breton se plaît à rechercher les signes annonciateurs du présent amour. Ainsi commente-t-il cette expression qu'il y retrouve, « l'air de nager » :

« ... le « numéro » de music-hall dans lequel la jeune femme paraissait alors quotidiennement était un numéro de natation. « L'air de nager », dans la mesure même où il s'est opposé pour moi à « l'air de danser » d'une femme qui marche, semble même désigner ici *l'air de danser sous l'eau* que, comme moi, ceux de mes amis qui l'ont vue par la suite évoluer dans la piscine lui ont trouvé généralement. »

Cette femme a donc été aimée pour son essence aquatique, sa complicité avec l'élément liquide qui l'apparente aux sirènes, naïades, fée Mélusine, famille par excellence du poète qui garde toujours un pied du côté des monstres et des merveilles.

Il est intéressant d'apprendre d'André Thirion [3], dans *Révolutionnaires sans révolution,* comment cet amour prit fin :

« Comme je lui demandais en 1946, lors de son retour en France, ce que la guerre, l'exil et le temps, avaient fait de la femme qui lui avait inspiré *L'Amour fou,* il m'avoua que leur mariage n'y avait pas résisté, que des détails absurdes avaient tout détruit. « Ainsi, ajouta-t-il, elle était incapable de fermer un robinet. Peux-tu imaginer jusqu'où va l'irritation d'un homme dans une chambre d'hôtel ou dans un petit appartement quand *l'autre* * ne ferme jamais les robinets ?... »

Que l'ondine donc, objet poétique par excellence, lieu idéal de la divagation, prétende *être elle-même jusqu'au bout* (et qui s'étonnera que, participant de l'eau, elle ne puisse vivre que tous robinets ouverts ?), alors, elle sortira du rôle qui lui a été assigné, ce qui faisait sa qualité primordiale deviendra « détail absurde » et elle-même sera bientôt *l'autre,* celle qui existe pour soi, l'ennemie, et il faudra rétablir l'ordre en se séparant d'elle.

Mais peut-être qu'il ne s'agit ici que d'une boutade de Breton, et que, la prendre au sérieux revient à confondre moi-même le figuré avec le propre. On peut alors (tentant une voie critique qui s'identifie à son objet sans l'attirer dans

(*) Souligné par l'auteur.

un système mais en en refusant les mirages) et par le procédé de Breton même, examiner ce passage de *l'Amour fou* qui relate un rêve :

« Je marche sur du liège. Ont-ils été assez fous de dresser *un miroir* parmi tous ces plâtras ! *Et les robinets qui continuent à cracher de la vapeur !* A supposer qu'il y ait des robinets. Je te cherche. *Ta voix même a été prise par le brouillard !* * »

Dans ce rêve — prophétique s'il en est, quoique Breton ne l'ait pas signalé — la disparition future de l'aimée est déjà associée aux robinets qui ne ferment pas, tandis que le miroir donne une innocente réponse à cette question : « Pourquoi l'aventure s'est-elle terminée en queue de poisson ? »

La réponse qu'apporte cette *preuve par le rêve* est celle-ci : dans ce miroir insolite, André Breton — à l'exclusion de l'être qu'il prétend aimer, et dont il pressent déjà le départ, n'a jamais vu que lui-même et sa vision poétique.

Plus révélatrice encore est une vision des *Vases communicants* dont l'auteur a l'extrême honnêteté de s'étonner [4] : « Cet objet-fantôme, qui n'avait pas cessé depuis lors de me paraître susceptible d'exécution, et de l'aspect réel duquel j'attendais une assez vive surprise, peut se définir comme suit (je l'avais dessiné, tant bien que mal, en guise de buste, sur le second tiers du papier; ce dessin a été reproduit dans le n° 9-10 de la *Révolution surréaliste*) : une enveloppe vide, blanche ou très claire, sans adresse, fermée et cachetée de rouge, le cachet rond sans gravure particulière, pouvant fort bien être un cachet *avant* la gravure, les bords piqués de *cils,*

(*) Souligné par nous.

portant une *anse* latérale pouvant servir à la tenir. Un assez pauvre calembour, qui avait toutefois permis à l'objet de se constituer, fournissait le mot *Silence,* qui me paraissait pouvoir lui servir d'accompagnement ou lui tenir lieu de désignation... C'est en redessinant il y a quelques jours l' « enveloppe-silence » que j'ai conçu les premières craintes relativement à la pureté de son intention. J'ai beau ne pas savoir me servir d'un crayon, il faut avouer que l'objet ainsi traité se présentait assez mal. Comme je le regardais un peu de travers, il me sembla que le schéma que j'en donnais tendait terriblement à la figuration d'autre chose. Cette anse, en particulier, me faisait assez mauvais effet. Les cils, à tout prendre, ainsi distribués comme autour d'un œil, n'étaient guère plus rassurants. Je songeai malgré moi à l'absurde plaisanterie — de quelle origine, au fait ? — qui a fait figurer cet œil au fond de certains vases, à anse précisément. Le mot « Silence », l'emploi du papier dans la construction de l'objet, j'ose à peine parler du sceau rouge, n'étaient amenés à prendre dans ces conditions qu'un sens trop clair... » *

En effet, il s'agit là (et le poète a raison de s'en inquiéter) du véritable portrait de la femme hors de toute affabulation, directement issu de l'inconscient de l'homme. L'objet réunit en effet idéalement (si l'on peut dire) tous les attributs féminins tels que l'homme les figure : c'est d'abord une *enveloppe vide sans adresse* — autrement dit, un message que les hommes s'adressent entre eux, dont le contenu est indifférent (de préférence nul) et dont le destinataire est lui aussi indifférent puisqu'il n'y a pas d'adresse.

* Souligné par l'auteur.

Le cachet rouge et sans gravure (mais prêt à être gravé) évoque à la fois la virginité et la menstruation aussi bien que le caractère passif (attendant une marque) que l'homme prête à la femme. Les cils rappellent que le poète (comme Breton l'a affirmé) cherche avant tout les « yeux » des femmes, mais ces yeux s'associent à la fois au vase que l'on sait (le moins noble des vases communicants) et au mot *Silence,* ce mot par quoi la femme se définit de façon si pratique.

L'objet apparu à André Breton (savait-il qu'une déesse Etrusque voilée portait le nom de Cilens ?) constitue donc une prodigieuse synthèse des éléments disparates de son inconscient.

Que l'inconscient s'exprime, c'est fort bien. Cela permet de comprendre que la vision du poète plonge dans le même magma conventionnel où tous les hommes absorbent ces confuses notions qui vont diriger les désirs les plus spontanés en apparence. Si l'inconscient est une force de libération, il est aussi une force d'esclavage dans la mesure où il s'impose comme une nécessité fatale. Nourri des impressions de chacun, il l'est aussi des préjugés qui rôdent et qui s'installent en lui. Rien de plus conformiste que ses symboles. L'interprétation des rêves de Freud coïncide trop souvent avec les clefs des songes issues de la tradition arabe, pour qu'il soit besoin de faire appel à l'idée d'inconscient collectif, afin de comprendre que cette partie essentielle de nous-mêmes accepte sans discrimination, et représente par là une force conservatrice d'autant plus redoutable qu'elle se pare le plus souvent d'une imagerie poétique.

Des symboles éculés réapparaissent parfois sous des formes exquises qui font pencher pour leur véracité.

Mais l'inconscient n'est pas une force immobile. Compris et exprimé, il peut devenir un puissant facteur de mouvement. Les lois qui gouvernent l'attraction physique entre les êtres, et qui paraissent si insaisissables et souvent malencontreuses, peuvent ainsi changer au cours de la vie, non peut-être tellement parce que le corps change, que parce que l'inconscient s'est épuré du conformisme qui l'enchaînait.

Répéter les mêmes erreurs (opération classique de l'inconscient) n'est que manquer d'imagination. L'amour qui persiste — vieux rêve humain — ne pourra être réalisé qu'entre des êtres dont l'inconscient est libéré — ou par hasard.

André Breton espère du hasard. C'est la voie la plus aristocratique et la moins fatigante. Elle est héritée — quoi qu'il en pense — de la foi religieuse. Ainsi partaient les chevaliers errants... Mais nos générations méfiantes ont trop combattu les moulins pour ne pas les redouter. De là, sans doute, leur passion excessive de la raison et de la science. Elles cherchent à être aussi lucides que possible, à projeter partout le faisceau lumineux. Elles font ainsi disparaître des ombres dont certaines étaient charmeuses, mais d'autres redoutables.

Je ne prétends pas réduire ici la pensée surréaliste à un système, mais faire simplement remarquer que tout homme a une tendance à organiser le monde — qu'il s'agisse d'un chef d'état, d'un penseur, ou même d'un poète —, selon un système dont il est le centre et qui a pour but de détruire au maximum les autres systèmes existants.

Notre monde est ainsi hérissé d'un ensemble phallique de constructions bizarres, dont certaines sont aussi admirables que la maison du facteur Cheval, et d'autres aussi monstrueuses que les H.L.M. de Boissy-Saint-Léger; toutes sont issues de l'esprit masculin, comment s'étonner que les femmes enfermées dans ces demeures qui ne sont conçues ni par elles ni pour elles, vivent des vies d'étrangères, confinées dans les ghettos de l'esprit, n'osant pas s'exprimer selon leurs propres concepts et obligées de nourrir tous leurs élans créateurs d'un aliment préfabriqué qui n'est pas fait pour elles ?

Est-il possible, en réunissant les éléments épars de cette pensée féminine étouffée dans l'œuf, de dégager son fonctionnement propre et d'ouvrir enfin la voie à des conceptions autres que celles qui nous ont amenés dans ce monde viril et pitoyable ?

IV

AMOUR ET FOLIE

> « Lacan, paraît-il, pour son premier séminaire, comme on l'appelle, de cette année, aurait parlé, je vous le donne en mille, de l'amour, pas moins.
> . . . .
> Je pense qu'il est clair, même si vous ne vous l'êtes pas formulé, que dans ce premier séminaire j'ai parlé de la bêtise. »
>
> Jacques LACAN.

Sur l'onde calme et noire où dorment les étoiles
La blanche Ophélia flotte comme un grand lys,
Flotte très lentement, couchée en ses longs voiles.
On entend dans les bois lointains des hallalis.
. . . .
O pâle Ophélia, belle comme la neige,
Oui, tu mourus, enfant, par un fleuve emporté !
C'est que les vents tombant des grands monts de Norwège
T'avaient parlé tout bas de l'âpre liberté.
. . . .
Ciel, Amour, Liberté : quel rêve, ô pauvre Folle !
Tu te fondais à lui comme une neige au feu.
Tes grandes visions étranglaient ta parole.
— Et l'infini terrible effara ton œil bleu.

Arthur RIMBAUD.

Que traditionnellement l'amour soit dévolu aux femmes et l'intelligence aux hommes, au point que pour certains, une intellectuelle ne soit pas tout à fait une femme, mais un homme d'élection, voilà qui mérite d'être examiné.

Il semblerait pourtant à première vue que l'intelligence rende l'amour plus éclairé et l'amour, l'intelligence plus pénétrante. Mais (rares étant ceux qui possèdent également les deux), l'amour — qui préfère autrui à soi-même — paraît presque toujours absurde (ou utilisable, ce qui revient au même) à l'intelligence qui aspire à la domination.

Et il est vrai que le paysage de l'amour diffère de celui de l'intelligence : toute astucieuse qu'elle soit, c'est le seul qu'elle ne puisse pas véritablement concevoir, elle l'appelle donc souvent bêtise.

L'amour — qui n'est pas très fort en dialectique — ne peut pas se défendre. Il sait pourtant qu'il perçoit d'autres rapports, aussi subtils et ingénieux, mais impossibles à démontrer. D'ailleurs son affaire n'est pas de démontrer. Il n'a que faire d'avoir raison. Pire : il préfère que l'autre ait raison et qu'il ne soit pas contrarié. Il passe donc en général pour un imbécile : quelqu'un qui ne demande qu'à être vaincu. Peut-on imaginer plus absurde ?

De son côté, l'intelligence, qu'elle le veuille ou non, est accumulatrice : elle multiplie les hypothèses, les connaissances, les réflexions, et sa joie consiste à établir entre tout cela une cohérence sur quoi elle puisse régner.

Tout intellectuel — quelle que soit la générosité de ses opinions — prétend être un monarque et le maître du monde qu'il a créé ou découvert — fût-ce celui de la démocratie...

Il ne peut pas s'arrêter : une chose comprise cesse de l'intéresser. Il s'y ennuie. Il faut qu'il passe à une autre, qu'il la maîtrise, qu'il la domine, qu'il la fasse sienne.

Si ce Don Juan de l'esprit s'arrête pour jouir de ses possessions et les aimer, le voilà perdu : son agilité disparaît et la sclérose le saisit.

L'amour marche d'un autre pas : il contemple. Il voudrait suspendre le temps. Il reste émerveillé. Ses pensées sont des rêves mais elles ne contiennent pas nécessairement moins de vérité que les élaborations de la logique. Les rapports qu'il perçoit sont ceux de l'harmonie ou de la discordance et il entend bien des phénomènes avant que la science ne les explique. Par exemple, il n'a pas besoin d'étudier l'écologie pour savoir que les eaux aspirent à être pures et que les arbres souffrent quand on y porte la hache.

Qui voit un arbre comme Virginia Woolf dans *La Maison hantée* (1) : « J'aime à penser à l'arbre en soi : d'abord à cette compacte et sèche sensation d'être de bois; puis au grincement de l'orage, et puis à ce lent, à ce délicieux suintement de la sève. J'aime à songer aussi à l'arbre dans un champ par les nuits d'hiver, lorsque toutes ses feuilles repliées sur elles-mêmes, il dissimule sa fragilité au fer des projectiles lunaires; mât dénudé, planté dans une terre qui tombe, tombe toute la nuit. Le chant des oiseaux doit lui sembler très fort, étrange aussi en juin; et les pattes des insectes doivent lui donner froid lorsqu'ils progressent laborieusement le long des plis de son écorce... », n'a pas besoin de lire dans *The secret life of plants* (2), les conclusions de Peter Tompkins et Christopher Bird : « La croissance des graines et des plantes, comme Paracelse l'a suggéré, peut être en effet affectée très fort par la position de la lune, celle des planètes, leur relation au soleil et aux autres étoiles du firmament... »

Cependant, si généralement l'amour ne comprend pas l'intelligence, l'intelligence ne comprend pas davantage l'amour, mais au lieu que l'amour contemple avec respect ce qui lui échappe, l'intelligence, dont la suffisance est extrême, tranche d'un seul coup : ce qu'elle ne conçoit pas, elle le méprise.

Rien n'exprime mieux la fascination réciproque et sans issue de l'amour et de l'intelligence, l'intelligence de l'amour et la bêtise de l'intelligence, que ce dialogue extrait de *Melmoth* (3), livre écrit au début du XIXe siècle et préfacé par André Breton dans sa dernière édition française.

Vivant seule sur une île indienne depuis son enfance, Immalie est visitée par Melmoth, l'homme errant, c'est-à-dire, le conquérant de l'esprit : « Que voudriez-vous que je fisse, Immalie ? »

« La difficulté qu'elle éprouvait à parler un langage qui fût à la fois intelligible et réservé, qui pût faire connaître ses désirs, sans trahir son cœur et la nature inconnue de ses nouvelles émotions, firent qu'Immalie balança longtemps avant de pouvoir répondre. »

La difficulté qu'Immalie éprouve à s'exprimer ne provient pas ici de son éducation puisqu'elle n'en a pas, mais du fait que le langage est impropre à moins d'un gros travail, à exprimer l'amour, surtout féminin. Social et viril par définition, il est beaucoup plus disposé à communiquer les concepts que les sentiments. Alors que l'intelligence peut briller de tous les feux — lassants parfois, il est vrai — de la métonymie, et ajouter quelques figures encore pour rehausser le discours, l'amour n'a pas le choix : il ne peut transmettre son essence — qui est harmonie — que par la métaphore. La métaphore est toujours de quelque manière *voilée,* et tout ce qui est lié d'une manière ou de l'autre à l'amour, se retrouve figuré chez la femme. C'est ainsi que pour Breton, la « beauté convulsive » est « érotique-voilée », exactement comme l'épouse d'un Musulman rétrograde...

Mais poursuivons :

« Restez avec moi, dit-elle à la fin, ne retournez pas dans ce monde de maux et de chagrins. Ici les fleurs seront toujours fraîches, et le soleil aura toujours le même éclat que le jour où je vous vis pour la première fois. » (Immalie a découvert toute seule la métaphore.)

« Pourquoi voulez-vous retourner dans le monde pour penser à être malheureux ? »

(Le « penser » est ici admirable car il implique une compréhension immédiate du malheur : ce qui est exclusivement tourné vers soi.)

« Le rire sauvage et discordant que son interlocuteur lâcha à ces paroles, la fit frémir et la rendit muette. »

La discordance est par excellence ce qui brise le discours métaphorique. Voilà pourquoi l'amour est si souvent muet, et la femme priée de suivre la même loi.

« Pauvre enfant ! s'écria-t-il avec ce mélange d'amertume et de compassion qui effraye et qui humilie à la fois : « Est-ce là la destinée que je dois accomplir ? Est-ce à moi à prêter l'oreille au gazouillement des oiseaux, à guetter le bouton qui s'épanouit ? Est-ce là mon sort ? »

Ici, la simple *sympathie* à l'égard du monde est repoussée avec mépris comme participant d'une qualité inférieure.

« Il poussa encore un éclat de rire barbare et rejeta loin de lui la main qu'Immalie lui avait tendue en cessant de parler. »

La barbarie, la sauvagerie et l'incompréhension ne sont

pas du côté d'Immalie qui a grandi seule dans son île déserte, mais bien du côté de Melmoth, si actif à parcourir le monde et si intelligent...

Cependant, c'est par la *discordance* qu'il apporte dans l'univers harmonieux d'Immalie, qu'il provoque la passion, et celle-ci connaît alors une forme de dessèchement bien caractéristique de la passion féminine :

« Quand nous nous rencontrâmes pour la première fois, mon sein était couvert de roses; aujourd'hui je les rejette loin de moi. Quand il me vit pour la première fois, tous les êtres vivants m'aimaient; maintenant leur amour m'est indifférent, je ne sais plus les aimer. »

Tandis que l'homme puise dans l'amour de la femme des forces qu'il remploie dans le monde extérieur, la femme se dépossède en donnant ce qui ne lui sera jamais véritablement rendu. Elle donne sa vie. On lui restitue des formes : elle sera épouse ou maîtresse. Elle aura l'immense honneur d'avoir une place dans le système viril et elle passera son temps à s'interroger sur le sens de ces formes : il m'a épousée, est-ce que cela signifie qu'il m'aime ? Alors, pourquoi a-t-il une maîtresse ? Ou bien : je suis sa maîtresse, est-ce que cela signifie qu'il me préfère à sa femme ? Ou encore : il prétend m'aimer mais il est parti... Est-ce que cela signifie qu'il m'aime malgré l'éloignement ou bien est-ce qu'il ne m'aime pas ? La femme essaie de déchiffrer un comportement dont le sens lui échappe et qui pour cette raison la fascine par son caractère mystérieux.

On apprend beaucoup à considérer comment les hommes agissent *en général,* mais c'est précisément ce qu'on ne peut pas faire quand on aime car l'amour est le lieu où les êtres sont uniques et ne se comparent à aucun autre. Lorsque les femmes savent tirer des théories sur les hommes, cela veut dire qu'elles les comparent, donc qu'elles n'aiment pas, et *par conséquent* que ce sont des monstres ou encore des femmes déçues.

Or toutes les femmes sont déçues.

Il y en a seulement qui osent l'avouer et d'autres qui préfèrent rêver afin de reconstruire perpétuellement et obstinément l'image dont la réalisation leur est toujours refusée.

L'homme est profondément syntaxique. Il n'agit qu'en fonction de sa position spatiale, temporelle, sociale et économique. Si un mot le gêne, il le remplace aussitôt par un synonyme. Un mot ne compte pas. Avec plus ou moins de travail, il en trouvera toujours un autre pour faire l'affaire. Ainsi des femmes. C'est seulement au bout d'un certain temps, lorsqu'elle est devenue fonction dans sa vie, qu'une femme devient plus difficile à remplacer. Mais on y arrive tout de même. Un être humain n'est unique que sur le plan affectif. Si ce plan fait défaut — ou si simplement il est secondaire dans l'économie générale — le système fonctionne parfaitement : il utilise.

Tandis que la femme, prise en écharpe, s'acharne à faire triompher dans son rêve des valeurs affectives qui confèrent à celui qui en est le bénéficiaire une qualité unique, et donc une force qui ressortit à la magie car elle est inconnue dans le système syntaxique, elle est tenue elle-même pour un objet de second choix, essentiellement remplaçable, d'autant plus qu'au lieu d'utiliser ses forces à se créer dans la société une fonction qui, elle, serait peut-être, sinon irremplaçable, au moins différenciée, elle les a utilisées à conférer à l'homme qu'elle aime ce supplément de puissance par où il ne trouvera que plus d'énergie pour l'abandonner s'il le désire. Dès lors, on comprend pourquoi le premier souci de notre culture est de convaincre chaque femme qu'elle est unique (par son parfum, par sa coiffure, par son sourire), pourquoi elle lui tolère l'excentricité, reflet innocent du pouvoir arbitraire, c'est précisément afin de dissimuler le fait qu'elle est interchangeable et privée de pouvoir, fait signifié autrement par le voile des Musulmanes, ce voile qui a au moins le mérite de la franchise car il montre sans équivoque que toutes les femmes sont interchangeables puisqu'elles n'ont pas de visages.

Donc, lorsqu'une femme rêve, c'est toujours d'amour puisque c'est ce qui chez elle n'est presque jamais satisfait. Ainsi Colette écrit-elle dans *L'Entrave* (4) :

« Je vais m'endormir tout à fait; le vrai sommeil, le vrai songe agencé, vraisemblable, le songe étanche, l'autre vie, me sollicitent ensemble. Je résiste, car je me sais impuissante à choisir le décor du profond royaume et sa figuration morose, élue parmi des morts, des amis depuis longtemps disparus, des enfants oubliés qui jouèrent avec moi. Mes amis récents, les passants de ma vie actuelle ne descendent pas là-bas... Je résiste pour demeurer avec mes apparitions légères d'en haut, celle qu'à ma guise j'appelle sur l'écran bleu des fenêtres. *Jean !...* »

L'incarnation féminine de Colette « résiste » donc (par habitude peut-être...) au véritable monde du rêve pour entrer dans ce qu'on pourrait appeler « la rêverie dirigée », celle qui a l'homme pour objet, en reproduisant ainsi l'opération faite dans la vie. Non contente de se priver de la plus grande part du monde réel, il faut aussi que (par discipline !) elle se prive du monde débridé du rêve véritable pour entrer dans ce qui n'a pas véritablement de nom — et pour cause :

c'est une institution uniquement féminine où se mélangent un vague passé et un avenir plus vague encore, mais dont le déterminisme le plus certain est l'apparition de l'être aimé.

La limitation imposée aux préoccupations de la vie rejaillit donc dans le seul domaine où la liberté aurait été possible. Le rêve décrit par Colette n'est ni un rêve de dormeur, ni la rêverie telle qu'elle est étudiée par Bachelard, c'est un rêve de femme. Il est bien différent d'un rêve d'homme. Ainsi Gérard de Nerval (5), qui avoue pourtant avoir été trompé par cette mythologie amoureuse à laquelle seules croient les femmes (« Ceci est la faute de mes lectures : j'ai pris au sérieux les inventions des poètes, et je me suis fait une Laure ou une Béatrix d'une personne ordinaire »), écrit :

« Une dame que j'avais aimée longtemps et que j'appellerai du nom d'Aurélia, était perdue pour moi. Peu importent les circonstances de cet événement qui devait avoir une si grande influence sur ma vie. Chacun peut chercher dans ses souvenirs l'émotion la plus navrante... »

Ce qui importe pour Nerval, ce n'est ni la personnalité d'Aurélia, ni les accidents de la passion, c'est la *fonction* qu'elle a occupée dans sa vie : elle a ouvert les portes du rêve. Au lieu que Jean — l'amant de Renée — bouchait les issues en apparaissant sur l'écran des fenêtres, éliminait par sa seule présence toute possibilité de rêve véritable, s'imposait comme *ce qui empêche le faire fonctionner le libre mécanisme du rêve* (et ceci est une métaphore, car il grippe exactement de la même manière la vie de Renée), Aurélia est au contraire celle qui *s'efface* devant le merveilleux dont elle a provoqué la venue. Si cela n'avait pas été Aurélia, une autre l'aurait fait à sa place, comme en témoignent les hésitations du manuscrit sur lequel on peut trouver rayé le nom de Sophie (Sophie de Feuchères ? Sophie de Lamaury ?) que vient remplacer parfois celui d'Aurélia, ou encore, certains attributs d'Aurélia qu'on retrouve dans d'autres textes appliqués à Adrienne.

La femme est une dans la mesure où sa fonction seule importe. Cette fonction est une forme vide qui trouvera tôt ou tard à se combler. Même Aurélia — qui rend Nerval fou — est parfaitement remplaçable. Ce qui importe, ce n'est pas elle, c'est l'univers du rêve. Peut-être — à côté de toutes les raisons qu'on a avancées, est-ce là qu'il faut chercher la cause de la culpabilité de Nerval. Cette âme délicate sentait peut-être qu'il manquait quelque chose à cet amour qu'il avait cru si grand. Et en effet : il lui manquait la personnalité.

C'est que l'homme formalise très tôt : puisque la fonction de la femme est de se consacrer à lui (et il ne voit rien dans cette fonction qui la distingue des autres), cette dévotion lui est due en échange d'un statut qui sera le résultat de sa propre fonction sociale ou même, l'habitude s'installant, en échange de sa présence seule, qu'il évalue habituellement très haut.

Or, dans la fonction d'amour telle que l'homme la conçoit, c'est-à-dire exclusivement tournée vers lui, constituant un reflet de lui ou, tout au plus, une métaphore, la personnalité de la femme, l'aptitude à se réfléchir elle-même et non à réfléchir autrui, apparaît comme *en trop*.

Il peut arriver cependant qu'il soit à la mode d'avoir une femme intelligente ou bien que la situation économique confère à la femme la fonction supplémentaire de gagner de l'argent, mais il ne faut pas s'y tromper : dans l'un et l'autre cas, la femme ne sera appréciée que si elle reflète, sinon un homme déterminé, au moins des valeurs viriles.

S'étant moulée sur le désir de l'homme, la femme est devenue comme ce désir lui-même, un objet de série (« Le sérieux... ce ne peut être que le sériel » dit Jacques Lacan...) produit en masse et interchangeable, à sa beauté près qui, comme on le sait, passe vite.

Privée donc d'identité affective et d'identité sociale, comment s'étonner que les femmes soient toute leur vie en quête d'elles-mêmes et que cette quête laborieuse les mène le plus souvent à la schizophrénie ?

Cependant Immalie, parmi les héroïnes malheureuses de Melmoth, est unique, car sa jeunesse, la solitude dans laquelle elle a grandi, permettent d'entrevoir tous les possibles qui étaient en la femme avant qu'elle ne soit asservie : pourquoi les pensées d'Immalie sont-elles des rêves ? Parce que l'existence même de la pensée virile en rend la réalisation impossible.

Melmoth suggère par l'amour qu'il inspire l'idée d'un bonheur harmonieux, mais son esprit est ainsi fait, que le lecteur sait immédiatement que ce bonheur n'est qu'un rêve d'Immalie.

Melmoth serait-il féminisé (comme son auteur Maturin), Immalie ne rêverait plus : elle penserait à l'avenir.

Une rêverie se perpétue quand elle perd toute chance d'être réalisée, quand la rêveuse ne peut la faire passer dans le réel.

Si les femmes ne ressentaient pas généralement l'amour qu'elles désirent comme une impossibilité répétée, elles en rêveraient moins. Elles rêveraient d'autres choses, peut-être plus intéressantes.

Cependant, écrite dans un langage de rêve, rêvée par Mme de La Fayette, la princesse de Clèves ne rêve jamais.

C'est qu'à l'inverse d'Immalie, elle constitue un produit parfait de la culture (si parfait qu'il en devient inutilisable comme le diamant trop gros dont parle Chamfort...) car elle sait que l'amour *tel qu'elle le conçoit* n'est pas réalisable. Ce qui est réalisable, c'est une contre-façon dont elle ne veut pas. Son éducation lui permet d'entrevoir ceci : les hommes et les femmes échangent des sentiments qui ne sont pas équivalents.

« J'ai eu tort de croire qu'il y eût un homme capable de cacher ce qui flatte sa gloire... »

En d'autres termes : il n'existe pas d'homme capable d'aimer une femme pour elle-même et non pour sa fonction qui est ici celle de conquête flatteuse.

Immalie au contraire ne voit pas la différence affective qui existe entre les hommes et les femmes, elle ne voit Melmoth qu'avec les yeux du rêve (les yeux de l'amour), sinon, elle ne dirait pas à celui qui, dans le titre même de l'ouvrage, se définit comme « l'homme errant » : « restez avec moi... » C'est cette illusion d'Immalie qui donne le sentiment du rêve, ce n'est pas son absence de logique. De même, rien n'est moins absurde que la vie d'Immalie qui se déroule en constant accord avec le cosmos, non pas parce qu'elle participe de la nature plus qu'un homme, mais parce qu'elle *aime* la nature. Elle ne cherche pas à la dominer ou à la « moraliser » comme Robinson Crusoé, elle se contente de vivre et de laisser vivre, réalisant ainsi la pensée rationnelle de l'écologiste d'aujourd'hui.

La rêverie comme la folie ne peut être définie que par rapport à ce qui l'entoure : rêve ici, pensée ailleurs ou plus tard.

Ainsi, au XIVe siècle, la libération sexuelle et le féminisme n'étaient qu'un rêve. Michelet écrit (6) :

« En 1310, en 1315, on voit, selon le Continuateur de Nangis, des femmes d'Allemagne ou des Pays-Bas enseigner que l'âme anéantie dans l'amour du Créateur, peut laisser faire le corps sans plus s'en soucier. Déjà (1300) une Anglaise était venue en France, persuadée qu'elle était le Saint-Esprit incarné pour la Rédemption des femmes; on la croyait volontiers; elle était belle et de doux langage... »

La « rêverie » de la femme est fonction d'un monde où rien ne se réalise comme elle l'entend.

Cependant l'état de rêverie peut être merveilleusement exploité : le choc du réel dans l'imaginaire ou le subjectif est si violent, déclenche un tel train d'ondes, se répercute dans toutes les parties de l'être avec une force si aiguë, qu'il possède une valeur érotique troublante. Un homme qui pénètre l'imaginaire d'une femme, possède beaucoup plus que son corps : il est entré dans son être.

Il suit de cela que la femme qui consacre ses aptitudes intellectuelles à rêver est une valeur de choix : bijou érotique (à défaut de nouvelle imagination de l'Eros), elle se détournera tout « naturellement » du pouvoir. C'est l'esclave née, le modèle séculaire de l'éducation féminine.

Quoi de plus délicieux que d'être (comme Melmoth) *l'initiateur,* la seule réalité d'un monde que l'on rend soi-même irréel ?

Que font tous les mauvais génies de Justine sinon l'initier à la « réalité », et quelle femme ne se souvient d'avoir été au moins une fois dans sa vie Justine quand elle lit ces lignes [7] :

« Juste ciel, Monsieur, m'écriai-je en me jetant aux pieds de Dalville, daignez vous rappeler que je vous ai sauvé la vie, qu'un instant vous semblâtes m'offrir le bonheur, et que ce n'est pas à cela que je devais m'attendre... »

Quelle femme n'a pas éprouvé une fois au moins — fût-ce à la simple lecture d'un journal — que le monde des hommes était un mauvais rêve qui s'appelait réalité.

Pourtant c'est sur elle que pèse la présomption de folie.

Hystérique ou délirante, une fois emprisonnée dans des mots, on ne se débarrassera que mieux de cette présence encore trop gênante.

Voyons donc ce que contiennent ces termes qui pèsent avec tant de mépris sur la condition féminine.

Freud écrit dans *Dora* (8) : « les symptômes hystériques sont l'expression des désirs les plus secrets et les plus réprimés des malades. »

Tout se passe comme si l'hystérique — à défaut de pouvoir s'exprimer — c'est-à-dire exprimer ses désirs — voulait inconsciemment en faire figurer une sorte de symbolisation sur sa personne même. Ainsi, par exemple, celle qui voudra s'identifier à une autre personne sans oser l'avouer, imitera physiologiquement les symptômes des malaises de l'autre.

Il s'agit donc, à n'en pas douter, d'une déviation de la communication qui au lieu de s'adresser à autrui, se retourne sur soi.

Quand on n'ose pas s'exprimer, quand on n'ose pas parler et quand ce que l'on voudrait dire est trop impérieux, on devient hystérique.

Ce trouble est aujourd'hui reconnu aussi chez les hommes, mais comment s'étonner qu'il frappe surtout les femmes alors que toute l'éducation de celle-ci consiste à réprimer et à taire au point que, lorsque la perfection du genre est atteinte, le langage même de la sexualité est retiré ? l'hystérie — dont l'un des symptômes fréquents est l'aphonie — est la maladie des muettes :

« Le symptôme le plus troublant, pendant la première partie d'une attaque de ce genre, au moins pendant les dernières années, était une *perte absolue de la voix.* »

Toutefois, il ne suffit pas que la malade soit rendue incapable de s'exprimer, il faut aussi qu'elle ait des rêveries, des fantasmes, ainsi que l'explique Freud dans *Cinq leçons de psychanalyse* (9) : « C'étaient des fantaisies d'une profonde tristesse, souvent même d'une certaine beauté — nous dirons des rêveries. »

C'est ce mélange d'imagination sans discipline et de répression qui produit l'hystérie, mélange idéalement secrété par la civilisation virile qui pousse la femme dans cette double voie et ne l'approuve que si elle y est engagée.

Mais voyons comment Jacques Lacan colonise le sujet (10) : « Mais il se trouve que les femmes aussi sont amoureuses, c'est-à-dire qu'elles âment l'âme. Qu'est-ce que ça peut bien être que cette âme qu'elles âment dans leur partenaire pourtant homo jusqu'à la garde, dont elles ne sortiront pas ? Ça ne peut en effet que les conduire qu'à ce terme ultime — ὕστερια * que ça se dit en grec, l'hystérie, soit de faire l'homme, comme je l'ai dit, d'être de ce fait *hommosexuelle* ou *horsexe,* elles aussi — leur étant dès lors très difficile de ne pas sentir l'impasse qui consiste à se mêmer dans l'Autre, car enfin il n'y a pas besoin de se savoir Autre pour en être. »

(*) J'ai pris sur moi de modifier l'esprit doux, produit sans doute d'une faute d'impression, en esprit rude, celui-ci ne me paraissant plus adéquat au niveau des signifiés comme à celui des signifiants... En vérité, ce mot n'existe pas et l'étymologie du mot hystérie est ὑστέρα.

Selon Jacques Lacan donc, la femme qui aime « l'âme » (ou ce qui en tient lieu) ne peut le faire qu'en se prêtant à elle-même une âme semblable à celle que l'homme a inventée pour lui.

« L'âme » est en effet un concept masculin (comme en témoignent les débats du Concile de Nicée), et le discours philosophique étant toujours viril, cela n'a rien qui puisse surprendre.

Voici donc décrite « l'âme » telle qu'elle est léguée par la tradition grecque :

« Si c'était vrai, l'âme ne pourrait se dire que de ce qui permet à un être — à l'être parlant pour l'appeler par son nom — de supporter l'intolérable de ce monde, ce qui la suppose y être étrangère, c'est-à-dire fantasmatique. Ce qui, cette âme, ne l'y considère — c'est-à-dire dans ce monde — que de sa patience et de son courage à y faire tête. Cela s'affirme de ce que jusqu'à nos jours, elle n'a, l'âme, jamais eu d'autre sens. »

Cela n'est que trop vrai. Ce que la femme considère comme « âme » n'a jamais été — et pour cause — directement exprimé, et, il me semble que ce qui lui paraît à elle, « l'âme », c'est précisément la faculté d'aimer (d'âmer, comme dirait M. Lacan), faculté qui, dans le cas rare (et peut-être nul ?) où elle existe, confère sans doute le courage et la patience, mais n'y puise pas sa source. Voici précisément le fantasme, la rêverie ou l'hystérie cernés : la croyance inexprimée et toujours déçue que les hommes ont une âme et qu'ils sont capables d'aimer.

La figuration de « l'âme » est différente chez l'homme et chez la femme, mais comme l'amour, dans la culture virile, est « bêtise », les femmes qui accèdent à cette culture se gardent bien d'en parler (sous peine d'être renvoyées à cette « bêtise », que pour ma part, je souhaite à beaucoup d'hommes). Ce qui explique pourquoi, toujours selon Jacques Lacan :

« *Nos collègues, les dames analystes, sur la sexualité féminine elles ne nous disent... pas tout !* * C'est tout à fait frappant. Elles n'ont pas fait avancer d'un bout la question de la sexualité féminine. Il doit y avoir à ça une raison interne, liée à la structure de l'appareil de la jouissance. »

Je croirais plutôt pour ma part que « cette raison interne » est liée à la manière dont une femme est considérée — ou plutôt déconsidérée — quand elle s'exprime sur des « sentiments ». Voyons en effet ce que M. Lacan écrit de l'amour :

1. « Celui à qui je suppose le savoir, je l'aime. » (Page 64.)

2. « Ce qui supplée au rapport sexuel, c'est précisément l'amour. » (Page 44.)

La conclusion logique de ces deux propositions — d'ailleurs extrêmement séduisantes, me paraît être : Je ne peux pas avoir de rapports sexuels avec celui à qui je suppose le savoir *parce que je l'aime.*

Or, il me semble qu'une femme serait plutôt tentée d'écrire : « Je ne peux pas avoir de rapport sexuel avec celui à qui je suppose le savoir parce que je ne l'aime pas — ou du moins, pas nécessairement. »

En d'autres termes le savoir (même supposé et sous ses formes les plus variées) n'a rien à faire avec l'amour (Odette Swann et d'autres encore, en savent quelque chose).

Ce savoir supposé — qui passionne l'esprit — n'est pas

(*) Les textes de Jacques Lacan sont soulignés par lui-même.

nécessairement capable de passionner le corps ou même — que l'on excuse cette expression triviale — le cœur.

Il est possible aussi de copuler avec des personnes qu'on aime et avec d'autres qu'on n'aime pas. La copulation n'est une preuve ni pour ni contre l'amour et la supposition d'un savoir n'en n'est nullement une cause.

Cause et preuve constituent simplement un débordement du système philosophique — donc viril — dans la vie qui refuse tout système.

Ce système décide de la façon la plus arbitraire qu'amour et copulation sont incompatibles. Voilà une optique d'homme. Et nous retournons tout doucement aux vieilles habitudes dûment justifiées : épouse à droite, maîtresse à gauche, et tout le monde au pas.

Si par hasard la femme échappe à l'hystérie, si elle prétend agir sa rêverie et lui donner figure dans la réalité extérieure, si enfin elle s'exprime, son sort ne sera pas meilleur : elle sera qualifiée alors de délirante.

Phèdre ou Penthésilée, le classique Racine et le romantique Kleist se trouveront mystérieusement accordés : celle qui, cessant de se conformer aux fantasmes virils, exprime sa sexualité comme elle l'entend, ne tarde pas à devenir sous leur plume, une folle.

On ne s'étonnera pas que le signe de ce désordre puisse être la confusion du propre et du figuré, c'est-à-dire ce qui connote la féminité même.

Penthésilée (11), ayant « dévoré » son amant, s'écrie : « Il y a tant de femmes pour se pendre au cou de leur ami et pour lui dire : je t'aime si fort. Oh ! Si fort ! que je te mangerais. Et à peine ont-elles dit ce mot, les folles, qu'elles y songent, et se sentent déjà dégoûtées. Moi, je n'ai pas fait ainsi, bien-aimé ! Quand je me suis pendue à ton cou, c'était pour tenir ma promesse — oui — mot pour mot. Et tu vois — je n'étais pas aussi folle qu'il a semblé... »

Ou bien, chez Racine, le monstre sorti des profondeurs maritimes, image parfaite de l'inconscient libéré, qui vient dévorer Hippolyte.

Les deux textes expriment à merveille la grande peur masculine, celle de la femme dévoratrice (reflétée aussi par les différents mythes du « vagin denté ») si sa sexualité pouvait jamais s'exprimer. Afin de conjurer ce péril, il faut non seulement que la femme qui ose parler se considère elle-même comme folle : « Il sait mes ardeurs insensées... » « le fol amour qui trouble ma raison... » « Phèdre et toute sa fureur... » mais qu'elle s'estime indigne du pouvoir (12) :

« Moi, régner ! Moi, ranger un Etat sous ma loi,
Quand ma faible raison ne règne plus sur moi ! »

Ainsi, le tour est joué (ce même tour qui amenait les Noirs à se traiter réciproquement de « sales nègres »...), délire et hystérie sont les deux grands volets de la folie féminine telle qu'elle a été définie (et d'ailleurs provoquée) par les hommes.

Il faut en effet considérer ici que l'hystérie est le résultat direct de l'éducation féminine. Comme Freud l'a écrit dans *Dora,* elle apparaît le plus souvent à l'adolescence lorsque la jeune fille prend conscience de la vie de frustration qui sera son lot :

« On peut souvent observer que ce sont justement les filles qui, dans les années précédant la puberté, témoignaient d'un caractère garçonnier et d'inclinations viriles qui deviennent hystériques à la puberté »...

Si Freud ne s'était pas gardé de tirer les conclusions d'une si pertinente observation, il aurait pu constater que, si les femmes sont plus hystériques que les hommes, c'est parce qu'elles sont davantage réprimées, non seulement en ce qui concerne la sexualité, mais pour toutes leurs autres aspirations.

La société virile *produit* des femmes hystériques et qualifie de délirantes celles qui ne le sont pas. Une femme passionnée inquiète : on tolère chez elle l'érotisme (on s'en réjouit), mais la passion... celle de Phèdre, de Penthésilée ?... Voilà qui est bien autre chose et qui trouble.

Redoutable *parce qu'étrange,* c'est-à-dire différente de la passion masculine. En quoi ? L'homme passionné est lui aussi capable de transgresser les tabous de l'inceste ou de détruire ce qu'il aime. Pourtant ni Othello ni César Borgia ne sont des fous. Tout au plus des jaloux ou des débauchés. Ce n'est ni l'objet de sa passion ni sa violence qui font accuser la femme de délire. Qu'est-ce alors ? Simplement ceci : la femme qui s'exprime constitue en soi un danger dans une société d'hommes car elle a refusé la répression et que, de la sorte, elle ne s'est pas aliénée dans les valeurs viriles.

On la fera donc passer pour folle.

Si Phèdre paraît délirer, c'est qu'elle est la seule personne de bon sens dans une société absurde : pourquoi dissimulerait-elle ses désirs ? Pourquoi serait-elle fidèle à Thésée qui l'a toujours trompée ?

Mais toute personne traitée de folle ne tarde pas à le devenir; tel sera le sort de Phèdre, ce qui permettra de laisser entendre qu'elle l'a toujours été.

Cependant, il est vrai que lorsque la passion de la femme s'exprime, elle présente un caractère insolite.

Ainsi lorsque Zaza (l'amie de Simone de Beauvoir dans *Mémoires d'une jeune-fille rangée*), déclare sa passion, ce livre si raisonnable vire tout-à-coup au fantastique (13) : « Le surlendemain de ma rencontre avec Zaza, Mme Pradelle était seule quand on sonna; elle ouvrit, et elle se trouva devant une jeune fille bien vêtue mais qui ne portait pas de chapeau : à l'époque, c'était tout à fait incorrect.

« Vous êtes la mère de Jean Pradelle ? demanda-t-elle.

« Je peux vous parler ? » Elle se présenta et Mme Pradelle la fit entrer.

Zaza regarda autour d'elle; elle avait un visage crayeux avec des pommettes enflammées. « Jean n'est pas là ? Pourquoi ? Il est déjà au ciel ? » Mme Pradelle, effrayée, lui dit qu'il allait rentrer. « Est-ce que vous me détestez, Madame ? » demanda Zaza. L'autre protesta. « Alors pourquoi ne voulez-vous pas que nous nous mariions ? » Mme Pradelle essaya de son mieux de la calmer; elle était apaisée quand un peu plus tard Pradelle rentra, mais son front et ses mains brûlaient. « Je vais vous reconduire », dit-il. Ils prirent un taxi et tandis qu'ils roulaient vers la rue de Berri elle demanda avec reproche : « Vous ne voulez pas m'embrasser ? Pourquoi ne m'avez-vous jamais embrassée ? » Il l'embrassa. »

Comment une jeune fille bien élevée ose-t-elle se conduire de la sorte ? Il faut pour cela qu'elle soit folle... (et en effet : elle est, sinon folle, du moins gravement malade). La même question est suscitée par l'héroïne du *Rideau cramoisi* de Barbey d'Aurevilly qui ose témoigner sa passion : « Est-elle effrontée ? Est-elle folle ? »

Alors que la situation inverse — celle du jeune homme courtisant la jeune fille — serait normale (à vrai dire, c'est celle que dans les deux cas, le lecteur attendait), la déclaration de la jeune fille prend aussitôt un caractère étrange. Pourquoi ?

Freud, dans le texte intitulé *Das Unheimlich* (14) donne une très bonne explication :

« Ce sentiment d'étrangeté ne provient de rien qui soit vraiment nouveau ou étranger, mais de quelque chose de familier et de bien établi dans l'esprit qui a seulement été rendu étrange par le processus de répression. Cette référence au facteur de répression nous permet à présent de comprendre la définition de l'étrange que donne Schelling : quelque chose qui devait rester caché mais qui est apparu malgré tout. »

Ainsi, chacun sait que le désir de la femme existe, mais le voir apparaître sans dissimulation donne aussitôt une impression bizarre qui participe de l'essence même du fantastique.

Une femme passionnée — donc intacte, intouchée par la civilisation — apparaît comme un monstre des temps préhistoriques dont la tête repousse après avoir été millénairement coupée. Cependant, si la passion de la femme étonne par sa simple manifestation, est-elle différente de celle de l'homme par son contenu ?

L'amour pousse chacun à la fois au fond de lui-même et hors de lui-même. Il est dedans et il est dehors. A l'extérieur et à l'intérieur. Ici et ailleurs. Il établit entre deux êtres un lien interne, réel ou imaginaire, et ces deux êtres deviennent alors l'un pour l'autre comme les deux termes d'une métaphore.

Pour qu'une métaphore conserve sa force, il faut que les deux termes en restent suffisamment distincts. La possibilité d'un rapprochement ne fait que l'affaiblir dans la comparaison.

Ainsi lorsque Chateaubriand écrit dans *Les Mémoires d'outre-tombe* (15) : « Parmi les abeilles qui composaient leur ruche, était la marquise de Custine... », cela est incontestablement moins fort (car après tout, si nous regardons un portrait de Delphine de Custine et une abeille, nous ne sommes pas convaincus) que lorsqu'il écrit : « Les plaisirs de la jeunesse reproduits par la mémoire sont des ruines vues au flambeau », car ici l'imagination se décourage devant la complexité des termes, elle est obligée de les laisser à distance l'un de l'autre, et c'est cette immobilité, cette impuissance à les rapprocher qui crée l'impression vraiment poétique.

Et lorsque Marcel Proust écrit dans *La Recherche* (16) : « On peut faire se succéder indéfiniment dans une description les objets qui figuraient dans le lieu décrit, la vérité ne commencera qu'au moment où l'écrivain prendra deux objets différents, posera leur rapport, analogue dans le monde de l'art à celui qu'est le rapport unique de la loi causale dans le monde de la science, et les enfermera dans les anneaux nécessaires d'un beau style; même, ainsi que la vie, quand, en rapprochant une qualité commune à deux sensations, il dégagera leur *essence commune* en les réunissant l'une et l'autre pour *les soustraire aux contingences du temps dans une métaphore* » *, il nous explique aussi pourquoi l'amour semble être de façon fugitive hors du temps et pourquoi la notion d'amour (si souffrante à notre époque de triomphe métonymique) est liée à la notion d'essence.

(*) Souligné par nous.

Si on considère à présent les deux termes d'une métaphore, force est de constater que l'un est par rapport au texte *in praesentia* et l'autre *in absentia;* même lorsqu'il s'agit de la métaphore proustienne qui réunit deux sensations éprouvées par l'auteur, l'une des sensations est présente, c'est celle du présent de la narration, et l'autre passée, c'est-à-dire absente.

Il en va de même de l'amour tel qu'il a été vu jusqu'ici : l'un des termes (l'homme) est présent à la vie, l'autre (la femme) est absent.

L'homme a donc été élevé pour *fonctionner,* pour s'adresser au monde comme un texte destiné à trouver des lecteurs, tandis que la femme l'était pour constituer un ailleurs métaphorique, un repos de la pensée qui s'écarte pour rêver un instant. L'éducation de la femme l'a ainsi protégée longtemps de toute préoccupation métonymique.

Elle n'a pas à connaître la syntaxe du monde : il suffit qu'elle y apparaisse comme un ornement. Si bien que pendant longtemps la femme a déployé une inaptitude à l'élaboration de systèmes * (ou même, quoique souvent musicienne,

(*) Techniquement, syntaxe et système ne sont évidemment pas synonymes. Cependant, on conçoit que la syntaxe en elle-même forme une sorte de système par opposition aux mots.

Napoléon qui détestait la littérature, adorait la grammaire : « ... les règles de la grammaire lui paraissaient des règles, donc des instruments capables — on le croyait du moins alors — de maintenir dans la langue un ordre nécessaire. » (Ferdinand Brunot, *Histoire de la langue française,* Armand Colin, Paris 1966, tome X, 2e partie, p. 650.)

Par contre, Marguerite Duras : « Le mot compte plus que la syntaxe. » (Marguerite Duras et Xavière Gauthier, *Les Parleuses,* éd. de Minuit, Paris 1974, p. 11.)

Au XVIIe siècle d'ailleurs, le seul adversaire sérieux du grammairien Malherbe fut Mlle le Jar de Gournay, dans un ouvrage intitulé symptomatiquement *Ombre.* Non moins symptomatique est le com-

à la composition musicale) qui évoque l'aphasie de contiguité (agrammatisme), telle qu'elle a été décrite par Roman Jakobson dans *Studies on Child language and aphasia* (17), le cas pathologique aidant à éclairer les tendances des êtres réputés normaux.

Si les aphasiques de la contiguité ne peuvent pas former de phrases, les femmes ont été élevées pour ignorer les rapports syntagmatiques, car si elles les avaient connus, elles auraient conçu des antisystèmes, comme cela est en train de se produire en ce moment.

Il est remarquable que dans l'aphasie de contiguité, la fonction grammaticale qui subsiste le mieux soit celle de l'accord et non celle de subordination. C'est que l'accord — fût-il grammatical — conserve quelque trace d'harmonie et d'amour, tandis que la hiérarchie — sèche conquête de l'homme, source de tout pouvoir — est la première bannie, et aussi la plus détestée des femmes, comme en témoigne le refus d'organisation des mouvements féministes.

Cependant, si l'éducation laisse relativement intacte la fonction métaphorique (celle qui évoque la similarité), celle-ci va bientôt essayer insidieusement de remplacer l'autre. L'amour sera dressé à jouer tous les rôles. Il deviendra un mode et un moyen de vie : on cherchera à se faire épouser — pour des raisons pratiques et sociales — de l'homme qu'on aime (tentant de transformer par là la métaphore en métonymie) ou d'aimer l'homme qu'on a épousé (pour transformer la métonymie en métaphore) mais si ces deux fonc-

mentaire de Ferdinand Brunot (*op. cit.*, tome III, 1re partie, pp. 12 et 13) : « A l'en croire, on n'a même pas besoin d'apprendre la syntaxe... » et : Au reste, elle s'est sentie elle-même vaincue et elle a cédé... » (ici : grande satisfaction de l'auteur...).

tions peuvent parfois se concilier, il arrive aussi que l'exercice répété de tentatives impossibles aboutisse seulement à rendre l'aphasie totale, la femme ne comprenant pas le langage de la société et ayant oublié celui de l'amour, devenue semblable à Pénélope qui défait la nuit ce qu'elle a fait le jour, et sombrant bientôt dans cet isolement désespéré qui l'enferme, telle Immalie dans son île, mais une île monstrueusement dévastée, d'où l'harmonie a disparu et que le démon n'a plus besoin de visiter, car elle lui appartient désormais de droit.

Plus réprimée, plus secrète, la passion féminine accumule les forces d'un fleuve qui se heurterait à un barrage. Contrariées, ses forces inemployées peuvent se retourner contre elle-même. Phèdre se suicidera pour avoir un instant oublié le code viril et l'héroïne du *Rideau cramoisi* mourra d'avoir voulu s'exprimer malgré lui par ses actes. Même si la passion est partagée et suit son cours normal (si l'on peut parler ainsi à propos d'une passion) la femme qui a concentré sur elle des énergies divisées chez l'homme dans ses différentes fonctions sociales ne se résignera pas comme lui à la dégradation qui est le sort habituel des sentiments trop forts.

Tels sont les sorts douloureux d'Anna Karénine et de l'Ellénore d'Adolphe.

Mais ont-elles tort ? La résignation des hommes n'est-elle pas la preuve de leur indifférence à l'amour même et n'est-elle pas aussi une cause qu'il ne dure pas ?

Une femme qui aime est prête à se transformer en n'importe quoi pourvu que cet amour dure : aucun sacrifice ne lui paraît trop grand, elle est au service — non pas de l'homme (comme la vanité de celui-ci le lui suggère souvent) mais d'une idée qui est celle de l'amour. Qu'elle le sache ou non, c'est là qu'elle place son pouvoir d'abstraction.

Tandis que l'homme imagine souvent que tant d'efforts sont dus à ses mérites personnels, il ne voit pas qu'ils sont adressés à ce qu'il représente. Dans le domaine de la passion, il accepte la fatalité avec une remarquable aisance. C'est qu'une autre fera l'affaire aussi bien. La passion de la femme peut être utilisable à des fins érotiques, mais elle a des exigences, et pour cette raison, elle apparaît comme *en trop*.

Une femme passionnée ne tolère rien. Elle représente une menace pour le cours de la vie bourgeoise. Mieux vaut s'assurer d'une femme qui ne présente pas cet inconvénient majeur, qui vous prend tel que vous êtes, qui vous donne ce que vous demandez et qui ne s'inquiète pas du reste.

Les femmes heureuses sont les femmes sans passion. C'est alors qu'elles en provoquent car on ne les craint pas. Sur cette pâte molle, on mettra plus facilement sa griffe.

Voici comment Renée, l'héroïne de *L'Entrave* décrit le sentiment qu'elle inspire [18] : « Tu prétends m'aimer; tu m'aimes : ton amour crée à chaque minute une femme plus belle et meilleure que moi, à laquelle tu me contrains de ressembler. Je porte, en même temps que tes couleurs préférées, le son de voix, le sourire qui te plaisent le mieux. Ta présence suffit pour que j'imite à miracle, les traits et tous les charmes de ton modèle. »

Une femme qui aime et qui est aimée se précipite avec passion sur cet autre soi-même qu'on lui propose. Obstinément attachée à poursuivre cette ombre — qui comprend quelques variantes imitatrices de liberté — elle élimine ce qui, en elle-même, pourrait lui être étranger. Habituée à se limiter, à rogner ses propres manifestations, elle va maintenant découper sa silhouette sur un patron. L'opération pourtant n'est pas toujours facile. Pas une femme qui ne devienne différente en la présence de son amant ou de son mari. Rien n'est plus étrange que l'attention qui se peint sur son visage au moment où l'homme arrive chez elle. On observe une recomposition des traits et du maintien, une tension, une inquiétude qui peut être doublée de joie ou d'hostilité, mais toujours un changement s'opère, comme dans une classe à l'arrivée d'un inspecteur, une espèce de rectification.

Ce changement est même visible lorsque paraît un homme quelconque dans une assemblée de femmes. Mme Roland décrit fort bien dans ses *Mémoires,* l'arrivée d'un vieux médecin dans une fête de patronage (19) : « A l'arrivée de la perruque doctorale, les novices baissent le voile, les grandes pensionnaires regardent si leur parure n'est pas dérangée, les plus jeunes filles prennent un air composé; moi-même je tiens ma guitare avec moins de négligence. »

Dès qu'un homme apparaît, chacune prend un autre ton. Il semble qu'elle se traduise elle-même dans une autre langue, qu'elle mette les accents là où elle ne les place pas d'habitude, qu'elle essaie à la fois de se faire remarquer et de passer inaperçue, et surtout de raisonner comme une entité imaginaire, une personne « comme les autres », c'est-à-dire qui précisément ne serait pas une femme.

On n'ose plus aborder simplement ni les idées ni les choses : tout devient aussitôt terriblement compliqué. Un dîner se transforme en une cérémonie. Il prend une signification ésotérique : qu'il faille sortir nappe et argenterie pour manger un simple œuf à la coque ou bien, comme dans les jeunes classes, transformer une table en porcherie, ou encore commander tout un menu pour voir arriver le soufflé au Grand-Marnier tant désiré au moment précis où on n'a plus aucune envie, un repas partagé avec un homme n'est jamais simplement un repas mais une prise de position économique (ne dépensons pas trop...), sociale (quand on pense à tous les affamés...), politique (après moi le déluge...), voire même écologique depuis ces dernières années (quelle est la provenance du poulet ?...).

La femme (même si elle ne se trouve là que par accident) ne tarde pas à se sentir elle-même transformée en parti-pris. Elle est une décision, tout comme le pigeon découpé du restaurant chinois, elle participe à un rite dont le sens lui échappe. Prise d'admiration ou d'agacement selon son caractère, elle se sent tout doucement enrôlée dans un système dont elle n'a pas la direction et qui d'ailleurs lui est étranger. De gré ou de force, il faut qu'elle participe et qu'elle joue le rôle.

Elle joue en général à moitié, soit en outrant la comédie, soit en ne s'y prêtant qu'avec cet air mi-figue, mi-raisin qu'elle adopte aussi bien avec ses enfants, et qui signifie : « Amusez-vous, puisque *cela* vous amuse... »

Au fond d'elle-même, elle sait toujours que les choses se font d'une certaine manière, mais qu'elles pourraient aussi bien se faire autrement. Cet *autrement,* c'est tout elle-même, une série de possibles qui ne voit jamais le jour sauf dans le gynécée, qui ne s'applique pas au monde, qui reste à l'état de virtualité.

Si les femmes américaines fondent aujourd'hui, exclusivement entre elles, des bureaux d'avocats et d'architectes, c'est précisément pour échapper à cette présence aliénante qui fait cesser d'être soi, qui impose une rigidité, qui propose des modèles tout faits, et si on se demande pourquoi, on est bien obligé de répondre que l'homme se présente toujours comme un juge, comme quelqu'un qui *sait mieux* par droit de nature, qui décide, qui tranche, qui coupe ce qui le dérange et qui, naturellement, comme chacun, se trompe une fois sur deux sans que cela trouble le moins du monde sa conviction intérieure.

Si par hasard il surprend — avec quelle stupeur — le changement qui intervient chez sa femme dès son absence, il l'accuse parfois de duplicité et de mensonge comme on en accuse la domestique stylée quand on la surprend à bavarder avec le facteur sur un autre ton, avec une autre voix et dans d'autres termes que ceux qu'elle utilise avec le patron.

Ductile par éducation, recréée à chaque nouvelle rencontre, la femme n'a pas même la liberté d'inventer sa propre image d'elle-même, cette image qui projette dans le futur et qui donne un but à la vie : son image est toute faite, c'est celle que l'homme a dessinée, conforme à ses jouissances et à sa paix, une image qui fige. Il faut toujours ressembler à celle qui a été aimée ou acceptée. Et on ne gagnera jamais contre le temps.

Ainsi la femme, poussée à la rêverie par son éducation qui n'exige d'elle le plus souvent qu'une attention de qualité secondaire, est privée du véritable rêve, non seulement lorsqu'il explore les mondes fantastiques mais lorsqu'il cherche à modeler l'avenir.

Or, il n'y a pas de grandes actions sans de grands rêves. Napoléon, comme Christophe Colomb, fut d'abord un rêveur. Et tel savant qui se prévaut de la raison fait ainsi oublier que sa théorie scientifique n'est souvent qu'un rêve déguisé, distant seulement du rêve véritable comme le fruit déguisé, bourré de pâte d'amande et pourvu d'un corolle en papier, est différent d'un pruneau ou d'une datte, mais empruntant comme lui son charme oblique à sa double appartenance, à un délicieux métissage entretenu dans l'esprit du savant comme dans celui du confiseur.

La femme n'ose pas rêver *pour elle.* Elle a été condamnée à rêver d'amour ou à partager les rêves des hommes. Il lui faut imiter; sinon elle ne sera pas entendue ou alors « elle cessera d'être une femme ».

Voilà la dialectique où elle est enfermée.

Chacun sait que ni Elisabeth Ire ni Mme Curie n'ont été de « vraies femmes », mais parlons de Marie Stuart, à la bonne heure !

Ainsi, telle Immalie, coupée de toutes les terres, la femme a mené pendant des siècles son destin solitaire qu'elle termine le plus souvent comme elle dans les cachots de l'Inquisition, enfermée dans une identité qui n'est pas la sienne et coupable d'un mal dont elle ne connaît pas la cause.

Il était temps qu'elle construise ses nacelles.

Les voilà déjà commencées.

alors que durant les guerres d'Espagne, il a connu un officier, le major Ydow, qui avait une maîtresse volage, Rosalba, dont il était devenu lui-même l'amant ainsi que plusieurs autres officiers. Pendant cette liaison, il s'est aperçu que cette femme avait la faculté de rougir de tout son corps au moment des plus vives étreintes. Ceci explique le surnom ironique de Rosalba : la Pudica.

Rosalba avait eu un enfant qui n'avait pas vécu mais auquel le major Ydow s'était attaché au point d'avoir fait embaumer son cœur pour le faire enterrer en terre chrétienne à la fin des campagnes.

Survient alors une violente scène entre le major et sa maîtresse, et celle-ci lui ayant appris que l'enfant n'était pas de lui mais de Ménilgrand, Ydow la « scelle » avec de la cire à cacheter au moyen du pommeau de son sabre.

Ménilgrand, qui assistait à la scène du fond d'un placard, en sort, et tue par derrière le major. Il appelle le chirurgien pour soigner la Rosalba, mais à partir de cette époque, il sera à jamais dégoûté des femmes.

C'était pour y déposer le cœur de l'enfant qu'il était allé dans une église.

Voici le passage essentiel de cette nouvelle :

« J'avais quitté le café de bonne heure, et j'y avais laissé le corps d'officiers engagé dans des parties de cartes et de billard, et jouant un jeu très vif. C'était le soir, mais un soir d'Espagne où le soleil torride avait peine à s'arracher du ciel. Je la trouvai à peine vêtue, les épaules au vent, embrasées par une chaleur africaine, les bras nus, ces beaux bras dans lesquels j'avais tant mordu et qui, dans de certains moments d'émotion que j'avais si souvent fait naître, devenaient, comme disent les peintres, du *ton* de l'intérieur des fraises. Ses cheveux, appesantis par la chaleur, croulaient lourdement sur sa nuque dorée, et elle était belle ainsi, déchevelée, négligée, languissante à tenter Satan et à venger Eve ! A moitié couchée sur un guéridon, elle écrivait... Or, si elle écrivait, la Pudica, c'était, pas de doute ! à quelque amant, pour quelque rendez-vous, pour quelque infidélité nouvelle au major Ydow, qui les dévorait toutes, comme elle dévorait le plaisir, en silence. Lorsque j'entrai, sa lettre était écrite, et elle faisait fondre pour la cacheter, à la flamme d'une bougie, de la cire bleue pailletée d'argent, que je vois encore, et vous allez savoir, tout à l'heure, pourquoi le souvenir de cette cire bleue pailletée d'argent m'est resté si clair.

« — Où est le major ? — me dit-elle, me voyant entrer, troublée déjà, — mais elle était toujours troublée, cette femme qui faisait croire à l'orgueil et aux sens des hommes qu'elle était émue devant eux !

« — Il joue frénétiquement ce soir, — lui répondis-je, en riant et en regardant avec convoitise cette friandise de flocon rose qui venait de lui monter au front; — et moi, j'ai ce soir une autre frénésie. »

« Elle me comprit. Rien ne l'étonnait. Elle était faite aux désirs qu'elle allumait chez les hommes, qu'elle aurait ramenés en face d'elle de tous les horizons.

« — Bah ! — fit-elle lentement, quoique la teinte d'incarnat que je voulais boire sur son adorable et exécrable visage se fût foncée à la pensée que je lui donnais. — Bah ! vos frénésies à vous sont finies. — Et elle mit le cachet sur la cire bouillante de la lettre, qui s'éteignit et se figea.

« — Tenez ! — dit-elle, insolemment provocante, — voilà votre image ! C'était brûlant il n'y a qu'une seconde, et c'est froid. »

« Et, tout en disant cela, elle retourna la lettre et se pencha pour en écrire l'adresse.

« Faut-il que je le répète jusqu'à satiété ? Certes ! je n'étais pas jaloux de cette femme : mais nous sommes tous les mêmes. Malgré moi, je voulus voir à qui elle écrivait, et, pour cela, ne m'étant pas assis encore, je m'inclinai par-dessus sa tête; mais mon regard fut intercepté par l'entre-deux de ses épaules, par cette fente enivrante et duvetée où j'avais fait ruisseler tant de baisers, et, ma foi ! magnétisé par cette vue, j'en fis tomber un de plus dans ce ruisseau d'amour, et cette sensation l'empêcha d'écrire... Elle releva sa tête de la table où elle était penchée, comme si on lui eût piqué les reins d'une pointe de feu, se cambrant sur le dossier de son fauteuil, la tête renversée; elle me regardait, dans ce mélange de désir et de confusion qui était son charme, les yeux en l'air et tournés vers moi, qui étais derrière elle, et qui fis descendre dans la rose mouillée de sa bouche entrouverte ce que je venais de faire tomber dans l'entre-deux de ses épaules.

« Cette sensitive avait des nerfs de tigre. Tout à coup, elle bondit : « Voilà le major qui monte, — me dit-elle. — Il aura perdu, il est jaloux quand il a perdu. Il va me faire une scène affreuse. Voyons ! mettez-vous là... je vais le faire partir. » Et, se levant, elle ouvrit un grand placard dans lequel elle pendait ses robes, et elle m'y poussa. Je crois qu'il y a bien peu d'hommes qui n'aient été mis dans quelque placard, à l'arrivée du mari ou du possesseur en titre...

— Je te trouve heureux avec ton placard ! — dit Sélune; — je suis entré un jour dans un sac à charbon, moi ! C'était, bien entendu, avant ma sacrée blessure. J'étais dans les hussards blancs, alors. Je vous demande dans quel état je suis sorti de mon sac à charbon !

— Oui, — reprit amèrement Mesnilgrand, — c'est encore là un des revenants-bons de l'adultère et du partage ! En ces moments-là, les plus fendants ne sont pas fiers, et, par générosité pour une femme épouvantée, ils deviennent aussi lâches qu'elle, et font cette lâcheté de se cacher. J'en ai, je crois, mal au cœur encore d'être entré dans ce placard, en uniforme et le sabre au côté, et, comble de ridicule ! pour une femme qui n'avait pas d'honneur à perdre et que je n'aimais pas !

» Mais je n'eus pas le temps de m'appesantir sur cette bassesse d'être là, comme un écolier dans les ténèbres de mon placard et les frôlements sur mon visage de ses robes, qui sentaient son corps à me griser. Seulement, ce que j'entendis me tira bientôt de ma sensation voluptueuse. Le major était entré. Elle l'avait deviné, il était d'une humeur massacrante, et, comme elle l'avait dit, dans un accès de jalousie, et d'une jalousie d'autant plus explosive qu'avec nous tous il la cachait. Disposé au soupçon et à la colère comme il l'était, son regard alla probablement à cette lettre restée sur la table, et à laquelle mes deux baisers avaient empêché la Pudica de mettre l'adresse.

« — Qu'est-ce que c'est que cette lettre ?... fit-il, — d'une voix rude.

« — C'est une lettre pour l'Italie, — dit tranquillement la Pudica. »

« Il ne fut pas dupe de cette placide réponse.

« — Cela n'est pas vrai ! — dit-il grossièrement, car vous n'aviez pas besoin de gratter beaucoup le Lauzun dans cet homme pour y retrouver le soudard; et je compris, à ce seul mot, la vie intime de ces deux êtres, qui engloutissaient entre eux deux des scènes de toute espèce, et dont, ce jour-là, j'allais avoir un spécimen. Je l'eus, en effet, du fond de mon placard. Je ne les voyais pas, mais je les entendais; et les entendre, pour moi, c'était les voir. Il y avait leurs gestes dans leurs paroles et dans les intonations de leurs voix, qui montèrent en quelques instants au diapason de toutes les fureurs. Le major insista pour qu'on lui montrât cette lettre sans adresse, et la Pudica, qui l'avait saisie, refusa opiniâtrement de la donner. C'est alors qu'il voulut la prendre de force. J'entendis les froissements et les piétinements d'une lutte entre eux, mais vous devinez bien que le major fut plus fort que sa femme. Il prit donc la lettre et la lut. C'était un rendez-vous d'amour à un homme, et la lettre disait que cet homme avait été heureux et qu'on lui offrait le bonheur encore... Mais cet homme-là n'était pas nommé. Absurdement curieux comme tous les jaloux, le major chercha en vain le nom de l'homme pour qui on le trompait... Et la Pudica fut vengée de cette prise de lettre, arrachée à sa main meurtrie, et peut-être ensanglantée, car elle avait crié pendant la lutte : « Vous me déchirez la main, misérable ! » Ivre de ne rien savoir, défié et moqué par cette lettre qui ne le renseignait que sur une chose, c'est qu'elle avait un amant, — un amant de plus, — le major Ydow tomba dans une de ces rages qui déshonorent le caractère d'un homme, et cribla la Pudica d'injures ignobles, d'injures de cocher. Je crus qu'il la rouerait de coups. Les coups allaient venir, mais un peu plus tard. Il lui reprocha, — en quels termes ! d'être...

tout ce qu'elle était. Il fut brutal, abject, révoltant; et elle, à toute cette fureur, répondit en vraie femme qui n'a plus rien à ménager, qui connaît jusqu'à l'axe l'homme à qui elle s'est accouplée, et qui sait que la bataille éternelle est au fond de cette bauge de la vie à deux. Elle fut moins ignoble, mais plus atroce, plus insultante et plus cruelle dans sa froideur, que lui dans sa colère. Elle fut insolente, ironique, riant du rire hystérique de la haine dans son paroxysme le plus aigu, et répondant au torrent d'injures que le major lui vomissait à la face par de ces mots comme les femmes en trouvent, quand elles veulent nous rendre fous, et qui tombent sur nos violences et dans nos soulèvements comme des grenades à feu dans de la poudre. De tous ces mots outrageants à froid qu'elle aiguisait, celui avec lequel elle le dardait le plus, c'est qu'elle ne l'aimait pas — qu'elle ne l'avait jamais aimé : « Jamais ! jamais ! jamais ! » répétait-elle, avec une furie joyeuse, comme si elle lui eût dansé des entrechats sur le cœur ! — Or, cette idée — qu'elle ne l'avait jamais aimé — était ce qu'il y avait de plus féroce, de plus affolant pour ce fat heureux, pour cet homme dont la beauté avait fait ravage, et qui, derrière son amour pour elle, avait encore sa vanité ! Aussi arriva-t-il une minute où, n'y tenant plus, sous le dard de ce mot, impitoyablement répété, qu'elle ne l'avait jamais aimé, et qu'il ne voulait pas croire, et qu'il repoussait toujours :

« — Et notre enfant ? — objecta-t-il, l'insensé ! comme si c'était une preuve, et comme s'il eût invoqué un souvenir !

« — Ah ! notre enfant ! — fit-elle, en éclatant de rire. — Il n'était pas de toi ! »

« J'imaginai ce qui dut se passer dans les yeux verts du

major, en entendant son miaulement étranglé de chat sauvage. Il poussa un juron à fendre le ciel.

« — Et de qui est-il ? garce maudite ! — demanda-t-il, avec quelque chose qui n'était plus une voix. »

« Mais elle continua de rire comme une hyène.

« — Tu ne le sauras pas ! » dit-elle, en le narguant. Et elle le cingla de ce *tu ne le sauras pas !* mille fois répété, mille fois infligé à ses oreilles; et quand elle fut lasse de le dire, — le croiriez-vous ? — elle le lui chanta comme une fanfare ! Puis, quand elle l'eut assez fouetté avec ce mot, assez fait tourner comme une toupie sous le fouet de ce mot, assez roulé avec ce mot dans les spirales de l'anxiété et de l'incertitude, cet homme, hors de lui, et qui n'était plus entre ses mains qu'une marionnette qu'elle allait casser; quand, cynique à force de haine, elle lui eut dit, en les nommant par tous leurs noms, les amants qu'elle avait eus, et qu'elle eut fait le tour du corps d'officiers tout entier : « Je les ai eus tous, — cria-t-elle, — mais ils ne m'ont pas eue, eux ! Et cet enfant que tu es assez bête pour croire le tien, a été fait par le seul homme que j'aie jamais aimé ! que j'aie jamais idolâtré ! Et tu ne l'as pas deviné ! Et tu ne le devines pas encore ? »

» Elle mentait. Elle n'avait jamais aimé un homme. Mais elle sentait bien que le coup de poignard pour le major était dans ce mensonge, et elle l'en dagua, elle l'en larda, elle l'en hacha, et quand elle en eut assez d'être le bourreau de ce supplice, elle lui enfonça, pour en finir, comme on enfonce un couteau jusqu'au manche, son dernier aveu dans le cœur :

« — Eh bien ! — fit-elle, — puisque tu ne devines pas, jette ta langue aux chiens, imbécile ! C'est le capitaine Mesnilgrand. »

« Elle mentait probablement encore, mais je n'en étais pas si sûr, et mon nom, ainsi prononcé par elle, m'atteignit comme une balle à travers mon placard. Après ce nom, il y eut un silence comme après un égorgement. — L'a-t-il tuée au lieu de lui répondre ? pensé-je, lorsque j'entendis le bruit d'un cristal, jeté violemment sur le sol, et qui y volait en mille pièces.

« Je vous ai dit que le major Ydow avait eu, pour l'enfant qu'il croyait le sien, un amour paternel immense et, quand il l'avait perdu, un de ces chagrins à folies, dont notre néant voudrait éterniser et matérialiser la durée. Dans l'impossibilité où il était, avec sa vie militaire en campagne, d'élever à son fils un tombeau qu'il aurait visité chaque jour, — cette idolâtrerie de la tombe ! — le major Ydow avait fait embaumer le cœur de son fils pour mieux l'emporter avec lui partout, et il l'avait déposé pieusement dans une urne de cristal, habituellement placée sur une encoignure, dans sa chambre à coucher. C'était cette urne qui volait en morceaux.

« — Ah ! il n'était pas à moi, abominable gouge ! » s'écria-t-il. Et j'entendis, sous sa botte de dragon, grincer et s'écraser le cristal de l'urne, et piétiner le cœur de l'enfant qu'il avait cru son fils !

« Sans doute, elle voulut le ramasser, elle ! l'enlever, le lui prendre, car je l'entendis qui se précipita; et les bruits de la lutte recommencèrent, mais avec un autre, — le bruit des coups.

« — Eh bien ! puisque tu le veux, le voilà, le cœur de ton marmot, catin déhontée ! » dit le major. Et il lui battit la figure de ce cœur qu'il avait adoré, et le lui lança à la tête comme un projectile. L'abîme appelle l'abîme, dit-on.

Le sacrilège créa le sacrilège (1). La Pudica, hors d'elle, fit ce qu'avait fait le major. Elle rejeta à sa tête le cœur de cet enfant, qu'elle aurait peut-être gardé s'il n'avait pas été de lui, l'homme exécré, à qui elle eût voulu rendre torture pour torture, ignominie pour ignominie ! C'est la première fois, certainement, que si hideuse chose se soit vue ! un père et une mère se souffletant tout à tour le visage, avec le cœur mort de leur enfant !

« Cela dura quelques minutes, ce combat impie... Et c'était si étonnamment tragique, que je ne pensai pas tout de suite à peser de l'épaule sur la porte du placard, pour la briser et intervenir... quand un cri comme je n'en ai jamais entendu, ni vous non plus, Messieurs, — et nous en avons pourtant entendu d'assez affreux sur les champs de bataille ! — me donna la force d'enfoncer la porte du placard, et je vis... ce que je ne reverrai jamais ! La Pudica, terrassée, était tombée sur la table où elle avait écrit, et le major l'y retenait d'un poignet de fer, tous voiles relevés, son beau corps à nu, tordu, comme un serpent coupé, sous son étreinte. Mais que croyez-vous qu'il faisait de son autre main, Messieurs ?... Cette table à écrire, la bougie allumée, la cire à côté, toutes ces circonstances avaient donné au major une idée infernale, — l'idée de cacheter cette femme, comme elle avait cacheté sa lettre, — et il était dans l'acharnement de ce monstrueux cachetage, de cette effroyable vengeance d'amant perversement jaloux (1) !

« — Sois punie par où tu as péché, fille infâme ! » cria-t-il.

« Il ne me vit pas. Il était penché sur sa victime, qui ne criait plus, et c'était le pommeau de son sabre qu'il enfonçait dans la cire bouillante et qui lui servait de cachet !

« Je bondis sur lui; je ne lui dis même pas de se défendre

et je lui plongeai mon sabre jusqu'à la garde dans le dos, entre les épaules, et j'aurais voulu, du même coup, lui plonger ma main et mon bras avec mon sabre à travers le corps, pour le tuer mieux !

— Tu as bien fait, Mesnil ! dit le commandant Sélune; — il ne méritait pas d'être tué par-devant, comme un de nous, ce brigand-là !

— Eh ! mais c'est l'aventure d'Abailard, transposée à Héloïse ! — fit l'abbé Reniant.

— Un beau cas de chirurgie, — dit le docteur Bleny, — et rare ! »

Mais Mesnilgrand, lancé, passa outre :

« Il était, — reprit-il, — tombé mort sur le corps de sa femme évanouie. Je l'en arrachai, le jetai là, et poussai du pied son cadavre. Au cri que la Pudica avait jeté, à ce cri sorti comme d'une vulve de louve, tant il était sauvage ! et qui me vibrait encore dans les entrailles, une femme de chambre était montée. « Allez chercher le chirurgien du 8e dragons; il y a ici de la besogne pour lui, ce soir ! » Mais je n'eus pas le temps d'attendre le chirurgien. Tout à coup, un boute-selle furieux sonna, appelant aux armes. C'était l'ennemi qui nous surprenait et qui avait égorgé au couteau, silencieusement, nos sentinelles. Il fallait sauter à cheval. Je jetai un dernier regard sur ce corps superbe et mutilé, immobilement pâle pour la première fois sous les yeux d'un homme. Mais, avant de partir, je ramassai ce pauvre cœur, qui gisait à terre dans la poussière, et avec lequel ils auraient voulu se poignarder et se déchiqueter, et je l'emportai, ce cœur d'un enfant qu'elle avait dit le mien, dans ma ceinture de hussard » (page 270, édit. de poche Garnier-Flammarion, 1967).

Marcel Proust écrit dans *La Prisonnière :* (1) « Ces phrases types, que vous commencez à reconnaître comme moi, ma petite Albertine, les mêmes dans la sonate, dans le septuor, dans les autres œuvres, ce serait, par exemple, si vous voulez, chez Barbey d'Aurevilly, une réalité cachée, révélée par une trace matérielle, la rougeur physiologique de l'Ensorcelée, d'Aimée de Spens, de la Clotte, la main du Rideau cramoisi... »

Or la main du *Rideau cramoisi* (2) est « un peu grande et forte comme celle d'un jeune garçon... » et lorsqu'on rapproche les deux textes, on ne peut s'empêcher de remarquer que les deux héroïnes portent le même nom : Albertine.

Quelle est donc la réalité cachée dont témoigne la main de l'Albertine de Barbey, réalité si importante pour Proust qu'il a choisi de donner le même nom d'Albertine à l'héroïne de *La Prisonnière ?* *

Les héroïnes principales des six nouvelles qui constituent *Les Diaboliques* (et dont l'ordre n'est pas indifférent) sont les suivantes : Albertine dans *Le Rideau cramoisi,* la Petite Masque (elle n'a pas d'autre nom) dans *Le plus bel amour de Don Juan,* Hauteclaire dans *Le Bonheur dans le crime,* la comtesse du Tremblay de Stasseville dans *Le dessous des cartes d'une partie de Whist,* Rosalba, la Pudica, dans *Un dîner d'Athées* et la duchesse de Sierra-Leone dans *La Vengeance d'une femme.*

Parmi ces six femmes, trois s'expriment uniquement par leurs actes (Albertine, Hauteclaire, la comtesse du Tremblay de Stasseville), deux parlent sous la contrainte morale ou physique (la Petite Masque et Rosalba), et la sixième, la duchesse de Sierra Leone, parle volontairement par ven-

(*) Ceci n'exclut pas forcément l'hypothèse d'Albert.

geance. Ce discours suffit à rendre impuissant son auditeur Robert de Tressignies : (3)

« L'idée, la certitude que c'était là réellement la duchesse de Sierra Leone, n'avait pas ranimé ses désirs éteints aussi vite qu'une chandelle qu'on souffle... »

« ... l'envie ne le prenait pas de la toucher du bout du doigt... »

« Il la regardait comme s'il avait désiré assister à l'autopsie de son cadavre... »

Non seulement « la femme qui parle » est figurativement tuée, mais elle entraîne par un maléfice contagieux, la maladie de son auditeur :

« De sombre, il passa souffrant. Son teint se plomba... » et, bien sûr, la terminaison du livre, qui succombe lui-même à cette parole vengeresse.

Cette nouvelle, la dernière des *Diaboliques* est l'exacte contrepartie de la première, *Le Rideau cramoisi,* où l'héroïne est totalement muette. La mutité engendre l'érotisme comme la parole produit l'impuissance. Les héroïnes érotiques sont muettes : Albertine, Hauteclaire, la comtesse de Stasseville.

Rosalba, comme la duchesse, n'est érotique que *jusqu'à ce qu'elle parle.*

La parole d'une femme ne peut être que redoutable et haineuse. Dans la dialectique de Barbey, les femmes heureuses ne parlent pas : elles s'expriment par le sexe et n'ont pas d'autre langage. Quant aux autres, on les fait « taire » : on marie la Petite Masque et on « cachète » Rosalba, ces deux opérations qui apparaissent respectivement dans la deuxième et l'avant-dernière nouvelle, étant rigoureusement correspondantes : on bouche l'organe de l'expression figurativement ou matériellement.

Les femmes raisonnables sont celles qui obéissent à l'érotisme, dussent-elles aller jusqu'au meurtre, et qui n'ont pas d'autre ambition : telles sont Hauteclaire et la comtesse de Stasseville qui apparaissent dans les troisième et quatrième nouvelles, placées comme il se doit au centre du livre, entre les deux extrêmes.

Jusqu'à ce point, cependant, rien de très original. C'est l'excès même de la violence qui attire l'attention sur *Un dîner d'Athées*. Autant son correspondant dans le livre, *Le plus bel amour de Don Juan* était anodin, autant *A un dîner d'Athées* est terrible.

L'horreur est connotée dans la nouvelle, non seulement par le traitement infligé à Rosalba, mais par les visages mêmes des convives dont l'un, celui du commandant Sélune, porte une plaie qui évoque déjà celle qui marquera Rosalba : (4)

« A l'état normal ce n'aurait été qu'une terrible blessure d'un assez noble effet sur le visage d'un soldat : mais le chirurgien qui avait rapproché les lèvres de cette plaie béante, pressé ou maladroit, les avait mal rejointes, et à la guerre comme à la guerre ! On était en marche, et, pour en finir plus vite, il avait coupé avec des ciseaux le bourrelet de chair qui débordait de deux doigts l'un des côtés de la plaie fermée; ce qui fit, non pas un sillon dans le visage de Sélune, mais un épouvantable ravin. »

La blessure de guerre ressemblera donc à la blessure d'amour, ce qui n'a rien d'étonnant chez Barbey où le vocabulaire de la guerre est constamment appliqué à l'amour (par exemple dans *Le Rideau cramoisi* (5) : « Nous dormions sur ce canon chargé. Nous n'avions pas la moindre inquiétude en faisant l'amour sur cette lame de sabre... ») et vice-versa : « J'avais dix-sept ans et j'aimais... mon épée. »

Or, cette inversion qui existe dans le langage de Barbey est poussée au maximum dans *A un dîner d'Athées.* Ici, tout marche à l'envers; il semble que l'auteur ait pris plaisir à montrer un univers où tout fonctionne au rebours de sa propre société : ici, c'est une honte que d'aller à l'église et un mérite de faire gras le vendredi. On s'y fait gloire de violer les religieuses et les prêtres y pratiquent une science médicale et abortive qui évoque singulièrement la sorcellerie. Enfin, on y offre les hosties consacrées aux cochons (au lieu d'en extraire le démon comme dans l'Evangile) et la jeune-fille qui prétend défendre ce sacrilège est elle-même soupçonnée d'avoir pour les curés un attachement malsain : (6)

« Elle les eût cachés sous son lit, dans son lit, sous ses jupes, et, s'ils avaient pu y tenir, elle les aurait tous fourrés et tassés, le Diable m'emporte ! là où elle avait mis leur boîte à hosties — entre ses tétons ! »

Bien sûr, cet univers *inversé* où des hommes seuls se réunissent publiquement pour se confesser, non par humilité, mais par orgueil, dans leur confrérie d'athées, et qui atteint son apogée par le supplice de Rosalba qui est fermée avec de la cire à cacheter comme une lettre au lieu d'être déflorée comme une femme (thème cher à Barbey puisqu'il l'avait déjà traité dans *Le Cachet d'Onyx*) évoque celui de la révolution « qui défaisait tout » et où toutes les valeurs de la monarchie étaient prises à l'envers. Il évoque aussi sans doute la sorcellerie *.

(*) Voir à ce sujet Emmanuel Le Roy Ladurie *Les Paysans de Languedoc,* Paris, Flammarion, chapitre V; *Les volontés d'inversion,* page 243, Barbey connaissait très bien l'histoire.

Mais, si c'est là l'explication que donne Barbey, il n'est pas sûr pourtant que ce soit la seule.

Si nous retournons maintenant à Proust, nous y voyons que, selon lui, le signe de la « réalité cachée » est la « rougeur physiologique ». Or précisément, parmi les héroïnes *qu'il ne nomme pas,* il faut placer au tout premier chef Rosalba, non seulement à cause de son nom, mais pour cette particularité qui est la sienne de rougir dans la volupté, dénotée par des expressions telles que (7) « le charme auroral de ses rougeurs », « du ton de l'intérieur des fraises... » ou encore : « une de ces belles pêches à chair rouge, dans laquelle on mord à belles dents », ce qui lui a fait donner le surnom de « Pudica ». Or, ce surnom nous renvoie à cette remarque de l'un des convives, l'abbé Reniant : (8) « Virgile aussi s'appelait « Le pudique » et il a écrit le *Corydon ardebat Alexim* ». Virgile *met en abyme* le poète, l'auteur du livre, Barbey, et cette remarque doit être à son tour rapprochée de ce bref dialogue entre Ménilgrand et son père : (9) « ... cela me rendit désormais fort tranquille *et fort indifférent avec toutes les femmes.* Ah ! elle m'a parachevé comme officier. Après elle, je n'ai plus pensé qu'à mon service. Elle m'avait trempé dans le Styx. *

« Et tu es devenu tout à fait Achille ! dit le vieux M. de Ménilgrand avec orgueil. »

On doit donc conclure que — comme M. de Tressignies, auditeur de la duchesse de Sierra Leone, Mesnilgrand, spectateur du supplice de la Rosalba, est devenu impuissant, tout au moins à l'égard des femmes, et que par ce fait il est devenu un Achille, ce qui peut être interprété de différentes

(*) Souligné par nous.

manières, Achille étant connu pour être un excellent guerrier mais aussi pour être l'ami de Patrocle.

Si nous reprenons le récit à la lueur de ces observations, nous devons remarquer que le major Ydow (comme Corydon et Alexis, signalé par l'accusatif grec, Alexim) est d'origine grecque et que Barbey insiste sur ce point : (10) « Il disait, lui, qu'il fallait prononcer son nom à la grecque : 'Aϊδον pour Ydow, parce qu'il était d'origine grecque; et sa beauté l'aurait fait croire... »

Or 'Aϊδον constitue une transcription particulièrement libre de Ydow, et, si ce mot n'existe pas en grec, il évoque le mot ἡδονή qui signifie : plaisir et le mot αἰδώς qui signifie *pudeur*. Or, ce major Ydow : « Vous comprenez bien qu'avec cette beauté qui plaît à toutes les femmes, même les plus fières — c'est leur infirmité —, le major Ydow avait du être horriblement gâté par elles et chamarré de tous les vices qu'elles donnent; mais il avait aussi, disait-on, *ceux qu'elles ne donnent pas et dont on ne se chamarre point...* * »

Il semble donc certain que le major Ydow est homosexuel ou du moins bisexuel. Ce détail prolonge tout naturellement l'univers d'inversion dont la nouvelle est imprégnée.

Ce qui paraît mériter une analyse particulière c'est le procédé par lequel l'épisode principal de la narration, le supplice de la Rosalba, a influencé le narrateur Ménilgrand. Il faut d'abord observer que : (11) d'une part « Avant dix-huit ans, en effet, des excès de femmes, des excès insensés, lui avaient donné une maladie nerveuse, une espèce de *tabès* dorsal pour lequel il avait fallu lui brûler la colonne vertébrale

(*) Souligné par nous.

avec des moxas **. » alors que : (12) : « Mais des femmes à la façon de cette Rosalba, nous n'en n'avions pas même l'idée. Nous étions accoutumés à de belles filles, si vous voulez, mais presque toujours du même type, décidé, hardi, *presque masculin,* presque effronté; le plus souvent de belles brunes plus ou moins passionnées, qui *ressemblaient à de jeunes garçons,* très piquantes et très voluptueuses *sous l'uniforme* que la fantaisie de leurs amants leur faisait porter quelquefois... * »

Rosalba est donc, à l'encontre d'Albertine et de Hauteclaire, la femme typiquement « féminine », celle qui est maudite par excellence et qu'on se plaira à torturer.

Aussi cet épisode — le supplice de Rosalba — est-il mis en lumière par un procédé stylistique remarquable : la transformation de la métonymie en métaphore : (13)

« Cette table à écrire, la bougie allumée, la cire à côté, toutes ces circonstances avaient donné au major une idée infernale, — l'idée de cacheter cette femme, comme elle avait cacheté sa lettre. »

Si le rapport entre la femme et la lettre est suggéré par la contiguïté des deux éléments et — pourrait-on dire, par une certaine logique, la lettre cachetée sans adresse constitue aussi une remarquable métaphore de la femme (celle-là même qui revient à André Breton dans *Les vases communicants*) puisque sa fonction sociale est celle d'un message que les hommes s'envoient entre eux dans une société dont le pouvoir est détenu par les hommes et puisque son message

(*) Souligné par nous.
(**) Souligné par l'auteur.

à elle (celui du sexe et le seul qui lui soit reconnu) ne peut être intercepté que par une clôture.

Une lettre n'est terminée que lorsqu'elle est cachetée et une femme — dans cette dialectique — ne se tait que lorsqu'elle est fermée.

Cependant, la lettre ne porte pas d'adresse, car la femme, une fois cachetée, ne porte plus d'adresse non plus : elle n'est plus adressée à personne, elle est sortie du circuit.

Mais Rosalba, accomplissant le destin qui est écrit dans son nom, pour la première fois, est devenue blanche (14) : « Je jetai un dernier regard sur ce corps superbe et mutilé, immobilement pâle pour la première fois sous les yeux d'un homme », réalisant ainsi la transformation inverse de celle du commandant Sélune, le balafré, qui vient de raconter (15) : « Je suis entré un jour dans un sac à charbon, moi ! C'était bien entendu, avant ma sacrée blessure. J'étais dans les hussards blancs, alors je vous demande dans quel état je suis sorti de mon sac à charbon ! »

Le commandant Sélune renvoie à Rosalba par le changement de couleur et par la blessure qui évoque la sienne, mais aussi à Ménilgrand par le rappel du noir et du blanc, car Ménilgrand (16) « portait un amour de redingote noire, et il était cravaté (comme on se cravatait alors) d'un foulard blanc... » et par la situation de voyeur muet dissimulé dans un sac à charbon comme Ménilgrand l'est dans un placard. Il est donc figurativement à la fois homme et femme.

Or, quel est le message que Ménilgrand du fond de son réduit, déchiffre *avant* qu'il ne soit scellé (puisque dans cette nouvelle tout marche à l'envers ?).

C'est celui-ci : dès que la femme parle, elle sème le désordre (le doute sur la paternité) et elle mélange l'amour et la haine : (17) « Mais elle sentait bien que le coup de poignard pour le major était dans ce mensonge, elle l'en dagua, elle l'en larda, elle l'en hacha, et quand elle en eut assez d'être le bourreau de ce supplice, elle lui enfonça, pour en finir, comme on enfonce un couteau jusqu'au manche, son dernier aveu dans le cœur. »

Si l'on se réfère à l'explication freudienne du couteau, on peut dire que figurativement, *la femme qui parle se transforme en homme.*

C'est à ce scandale qu'il faut mettre fin en *l'expédiant* de la manière que l'on sait à défaut de quoi, l'homme devient impuissant (comme Tressignies dans *La Vengeance d'une* femme) ainsi qu'en témoigne cette phrase : (18) « Et c'était si étonnament tragique, que je ne pensai pas tout de suite à peser de l'épaule sur la porte du placard, pour la briser et intervenir... »

Dans ce bref instant de mutité, d'impuissance et d'effroi, dans le fond de son placard qui évoque irrésistiblement l'expression américaine « closet queen » dite pour un homosexuel honteux de sa condition, Ménilgrand est devenu un autre : au moment où la Pudica (associée par son nom au poète) est devenue blanche, la vérité est apparue et Ménilgrand s'est précipité sur le major Ydow : (19) « ... je lui plongeai mon sabre jusqu'à la garde dans le dos... » Il a repris sa virilité car il vient symboliquement de sodomiser Ydow.

Comme l'observe alors l'un des convives : « Eh ! Mais c'est l'aventure d'Abailard transposée à Héloïse ! » Et en effet, l'histoire d'Abailard est ici inversée comme le reste : c'est Abailard qui a appris d'Héloïse, et non pas l'amour de la femme, mais la haine de la femme, et s'il se retire, ce n'est pas dans un couvent, mais dans une société homosexuelle exclusivement composée d'athées qui contrefont des moines.

Or Ménilgrand présente un grand nombre de points communs avec son auteur Barbey : c'est comme lui un aristocrate et un dandy. Cependant, si la Rosalba a « un visage de camée » (20), le camée qu'on trouve sur la cravate blanche de Ménilgrand est (21) « un camée antique, représentant la tête d'Alexandre », c'est-à-dire d'un autre Grec. Enfin, Ménilgrand s'adonne à la peinture comme Barbey à l'écriture, et, après avoir vu une femme traitée dans ce qu'elle a de plus naturel comme un objet de culture — une lettre — il s'acharnera à traiter ses tableaux comme des ennemis de guerre : (22) « crevant ses toiles après les avoir peintes » « sabrant la toile de son pinceau », ce qui est exactement la manière crue de procéder dont s'enorgueillit Barbey.

Dans cette nouvelle où Barbey se dévoile le plus, il a cru bon de choisir un nom qui le cache au mieux : celui de quelqu'un qui a réellement vécu à Valognes et s'appelait Ménilgrand.

Si l'on se reporte maintenant à la deuxième nouvelle des *Diaboliques, Le plus bel amour de Don Juan,* qui répond par sa position dans le livre au *Dîner d'Athées,* on s'aperçoit que là, Barbey a donné au Comte de Ravila ses propres prénoms : Jules Amédée, afin de suggérer au lecteur que ce Don Juan est lui-même. C'est un procédé bien connu des homosexuels réprimés (M. de Charlus comme Henri de Montherlant) mais par un raffinement plus subtil, l'aventure décrite dans cette histoire (une enfant qui se croit enceinte parce qu'elle s'est assise sous le regard du Comte de Ravila dans un fauteuil précédemment occupé par lui) est une *fausse* aventure, une aventure en *faux-semblant,* racontée devant une société exclusivement composée de femmes, comme celle de Rosalba est racontée dans une société exclusivement composée d'hommes. Si elle présente un certain caractère fantastique en raison de l'évocation du pouvoir occulte du regard et de la possibilité d'une fécondation par le moyen d'un objet, elle nous ramène cependant à un Don Juan dont l'aventure juanesque ne s'est produite que par *imagination* et n'est racontée que pour tromper un auditoire de femmes qui espère toujours qu'il va entendre autre chose.

Ainsi notre Don Juan viril et particulièrement « sexiste » n'est autre qu'un homosexuel qui n'a pas le courage de s'avouer, ou plutôt qui ne s'affiche qu'en exprimant la haine des femmes.

De telles attitudes sont adoptées ensuite par des hommes qui ne sont pas homosexuels et qui croient être « virils » quand ils sont simplement sadiques.

Une iniquité en entraîne une autre : une société qui réprime et pénalise l'homosexualité aboutit bientôt — contrairement à ce qu'on pourrait croire — à pénaliser les femmes.

En voici un autre exemple : si nous reprenons *La recherche du temps perdu,* nous pouvons y constater qu'un personnage y est nommé tout au long du livre bien qu'il n'entre jamais en scène. Il s'agit du duc de Chartres dont M. de Charlus dit ceci (t. III, page 1107) : « Je suis, d'ailleurs, personnellement très bien avec mon cousin le duc de Chartres, mais enfin c'est une race d'usurpateurs, qui a fait assassiner Louis XVI, dépouiller Charles X et Henri V. Ils ont, du reste, de qui tenir, ayant pour ancêtres Monsieur, qu'on appelait sans doute ainsi parce que c'était la plus étonnante des vieilles dames, et le Régent et le reste. Quelle famille ! »

Le duc de Chartres, homosexuel par filiation, pourrait-on dire, évoque non seulement la cathédrale de Chartres proche d'Illiers, mais aussi un personnage littéraire bien connu de Proust, le vidame de Chartres qui apparaît dans *La Princesse de Clèves*. On remarquera d'ailleurs qu'il est question à deux reprises de Madame de La Fayette dans *La Recherche* et que le nom de Clèves y est cité comme celui d'un ancêtre de la princesse de Parme.

Si nous retournons alors à *La Princesse de Clèves,* nous observons que le vidame de Chartres y joue un rôle à la fois secondaire et capital qui attire l'attention :

1° Il est l'oncle de la princesse et l'ami du duc de Nemours.

2° Il a été choisi par la reine de France pour être son chevalier servant.

3° Il perd une lettre de femme dont la propriété est faussement attribuée au duc de Nemours et dont le contenu fera entrevoir à la princesse le destin de femme séduite et abandonnée. C'est en lisant cette lettre que sa décision de résister au duc sera véritablement prise, mais c'est en la reconstituant avec le duc qu'elle restera seule avec lui pour la première fois.

4° C'est au vidame de Chartres que le duc de Nemours raconte le célèbre aveu de la princesse. En apprenant cette indiscrétion, la princesse comprend que le duc ne méritait pas sa confiance.

5° La dernière rencontre du duc et de la princesse, après la mort du prince, est organisée par le vidame de Chartres qui a dissimulé à la princesse que le duc serait présent.

On voit que la relation du vidame de Chartres et du duc de Nemours est celle de la complicité. Le vidame agit à deux reprises (une fois en le sachant et une fois sans le savoir) comme un entremetteur. Il trahit toutes les femmes : la reine, sa maîtresse, et sa propre nièce la princesse de Clèves. Par contre, la fidélité mutuelle du vidame de Chartres et du duc de Nemours est indéfectible : le duc de Nemours accepte de se voir attribuer la lettre compromettante, il n'a pas de secret pour le vidame, et c'est à son tour le vidame qui lui permettra de voir une dernière fois la princesse en abusant de ses liens de parenté.

Il n'est pas possible de décrire mieux une société homosexuelle qui « joue aux dames ». On s'y amuse avec les dames, mais les véritables liens sont entre les hommes. La lettre de femme « perdue au jeu » est métaphorique. Elle pourrait être écrite par n'importe quelle femme à n'importe quel homme. Enfin, le titre de vidame provoque une sorte de rêve sémantique : s'agit-il de ce qui remplace une dame ou de ce qui détient de doubles attributs ?

Si l'on recherche alors qui a été le vidame de Chartres, il n'est peut-être pas inutile d'observer que l'une des tours du château de Tiffauges est nommée « tour du Vidame » d'après le vidame de Chartres, fils en deuxième noces de Catherine de Thouars, veuve de Gilles de Rais.

Son nom évoque donc, à la fois la plus grande affaire d'homosexualité du Moyen-âge et la légende qui en est née et qui, conformément au schème suivi par Barbey dans la nouvelle analysée ici, traduit dans *Barbe-Bleue* l'homosexualité inexprimée par le meurtre de la femme.

Nous avons donc affaire à une filiation des noms et des idées très clairement reprise par Proust qui, comme on le sait, ne choisissait pas les noms au hasard. Ce n'est pas un hasard non plus si *La recherche du temps perdu* commence par l'évocation des images de Barbe-Bleue sur la lanterne magique.

On voit par cet exemple (et par celui qui va suivre) que la critique féministe consiste à poser le point de vue de la femme — non pas en excluant les autres données, ce qui aboutirait à un résultat faussé et nécessairement partial — mais à tout moment et en tous lieux, de manière à ce que cette question ne soit pas *effacée* mais *intégrée* dans l'ensemble des éléments qui permettent de procéder à l'analyse.

II. — *Du viol de Lucrèce aux Bacchanales.*

Violée par Tarquin le Superbe, Lucrèce se poignarda en présence de son père Spurius Lucretius, de Valerius et de Brutus.

La conséquence historique de cet acte fut la chute de la monarchie romaine. Mais une autre conséquence, moins souvent examinée fut que, selon Valère-Maxime (VI,I,I), Lucrèce devint l'héroïne de la pudeur féminine, *dux romanae pudicitae Lucretia.*

Cette aventure donne en effet à penser que c'est spontanément, outragée dans ses sentiments les plus « naturels », que Lucrèce s'est donné la mort sans y être le moins du monde obligée et en présence d'une famille désespérée qui, convaincue de son innocence, s'empresse de la venger.

La « pudeur » de Lucrèce a eu pour conséquence l'établissement de la République, et donc d'un régime plus juste.

La « pudeur » de Lucrèce est non seulement *du côté* de la nature, mais *du côté* de la justice.

Elle montre clairement la voie aux autres matrones romaines. Pendant des générations, Lucrèce restera l'exemple irréprochable de la vertu parce que précisément elle a agi par elle-même, délibérément, se faisant le juge de son honneur et de sa vie.

Cependant, examinons les quelques bribes des lois royales qui ont été retrouvées dans *Plutarque* (« La vie de Romulus », § 22). Voici le texte qui concerne la répudiation de la femme tel qu'il a été rétabli par Pierre Noailles dans son ouvrage *Fas et Jus* (23) :

Ἔθηκε δέ καὶ νόμους τινὰς (ὁ Ῥωμύλος), ὧν σφοδρός μέν ἐστιν ὁ γυναικί μή διδούς ἀπολείπειν ἄνδρα, γυναῖκα δέ διδούς ἐκβάλλειν ἐπὶ φαρμακείᾳ τέκνων ἤ κλειδῶν ὑποβολῇ καὶ μοιχευθεῖσαν· εἰ δ'ἄλλως τις ἀποπέμψαιτο, τῆς οὐσίας αὐτοῦ τὸ μὲν τῆς γυναικός εἶναι, το δέ τῆς Δήμητρος ἱερὸν κελεύων, τόν δ'ἀποδόμενον γυναῖκα θύεσθαι χθονίοις θεοῖς.

Pierre Noailles a très largement justifié la traduction suivante : « Romulus édicta aussi quelques lois parmi lesquelles est sévère à la vérité celle qui ne permet pas à la femme de quitter son mari, mais qui permet au mari de répudier son épouse pour cause d'empoisonnement d'enfants ou de soustraction de clés et pour cause d'adultère; elle ordonne que, si quelqu'un renvoie sa femme pour un autre motif, la moitié de sa fortune appartienne à la femme et que l'autre moitié soit consacrée à Déméter, mais que celui qui a répudié sa femme offre un sacrifice aux dieux infernaux. »

Ce texte (qui paraissait déjà sévère à Plutarque) indique, d'une part que la femme n'avait pas le droit de répudier son mari, mais que, d'autre part, le mari pouvait répudier la femme dans trois cas.

Ces trois cas — l'avortement par drogue *, la soustraction de clés, c'est-à-dire celles du cellier, les seules dont la femme ne disposait pas et qui lui permettaient de boire du vin, et l'adultère ont ceci en commun d'introduire un élément réputé impur qui, au-delà de la femme, risque de souiller le clan tout entier.

Cependant, si l'on comprend que l'adultère de la femme — et non celui de l'homme — constitue un tabou du sang en raison de ses conséquences familiales, il est plus difficile de comprendre pourquoi la drogue abortive — dans une société ou l'avortement était fréquent —, et l'ingestion de vin — que les hommes pratiquaient journellement — deviennent des tabous du sang dès qu'il s'agit d'une femme.

Peut-être que la femme est considérée comme plus vulnérable aux influences occultes dissimulées dans les boissons et que le vin, par sa couleur purpurine, évoque non seulement l'amour mais le sang même de la procréation.

En tous cas, une femme accusée de l'une des ces fautes est jugée par le tribunal familial et peut être non seulement répudiée sans indemnité comme l'écrit Plutarque, mais plus certainement encore, mise à mort comme l'écrit Denys d'Halicarnasse :

Ἁμαρτάνουσα δέ τι δικαστὴν τον ἀδικούμενον ἐλάμβανε καὶ

(*) Ce sens d'avortement est tout à fait confirmé par l'étude de Jacques Derrida sur le mot *pharmakon :* « Le pharmakon est donc l'ennemi du vivant en général. » (Jacques Derrida, *La Dissémination,* Paris, Le Seuil 1972, p. 113.)

τοῦ μεγέθους τῆς τιμωρίας κύριον. ταῦτα δε οἱ συγγενεῖς μετὰ τοῦ ἀνδρός ἐδίκαζον· ἐν οἷς ἦν φθορά σώματος καί ὃ πάντων ἐλάχιστον ἁμαρτημάτων Ἕλλησι δόξειεν ἄν ὑπάρχειν εἴ τις οἶνον εὑρεθείη πιοῦσα γυνή. Ἀμφότερα γὰρ ταῦτα θανάτῳ ζημιοῦν συνεχώρησεν ὁ Ῥωμύλος, ὡς ἁμαρτημάτων γυναικείων ἔσχατα.

(*Antiquités romaines,* II, 25.)

Ce texte a donné lieu à de nombreuses discussions, mais enfin, il existe, et peut se traduire par :

« Lorsque les femmes avaient commis une faute, on prenait pour juge celui qui en avait été victime et il décidait de l'étendue du châtiment.

« Les parents jugeaient avec le mari dans les cas où il y avait eu souillure du corps (adultère) et celui — ce qui paraissait aux Grecs la plus bénigne des fautes — où une femme avait été surprise à boire du vin, car Romulus accorda que ces deux choses étaient punissables de mort comme étant les plus graves des fautes féminines. »

De fait, la situation de la femme répudiée sans fortune dans la Rome primitive ne devait pas être très différente de celle de condamnée à mort.

Reprenons donc la légende : le viol de Lucrèce n'est que le signe d'un autre viol : celui d'un tabou du sang. (Il est remarquable qu'en français comme en latin, le terme de viol s'applique indifféremment à une femme et à une loi, comme si, ne participant pas activement à la législation juridique ou religieuse, la femme devait cependant y être associée passivement comme un symbole.)

Si Lucrèce, donc, ne s'était pas suicidée, elle aurait été certainement mise à mort d'une manière ou de l'autre par sa famille qui n'aurait pas même eu la possibilité de faire autrement puisqu'il s'agissait d'un tabou.

Lucrèce n'a donc pas *choisi* la mort, elle a seulement choisi le genre de mort qui lui convenait le mieux. Ceci limite singulièrement la portée de sa « pudeur ».

Mais cette légende avait un autre but : Lucrèce oppose l'ordre viril romain à l'ordre étrusque plus féminisé : elle met fin à la série des femmes indépendantes et volontaires, légèrement sorcières, et qui imposent leurs volontés, telles que Tanaquil, qui joignait à ses dons de voyance une inquiétante volonté politique et Tullia qui avait prétendu faire passer son char sur le cadavre de son père.

Ce dernier aspect de la légende de Lucrèce, ou plutôt cette fonction de dénoter la victoire de l'ordre viril est confirmée par l'observation de Tite-Live (IV, 57), selon laquelle Lucrèce file la laine parmi ses suivantes tandis que les belles-sœurs étrusques de Sextus Tarquin font ripaille avec des jeunes gens.

Il est probable en effet que l'antiféminisme affiché dès ses débuts par la civilisation romaine — par exemple la légende de Romulus et Rémus, élevés non par une femme mais par une louve, avec ce détail aggravant que *lupa* signifie prostituée, ou encore l'asservissement des Sabines — ne constitue qu'un moyen parmi d'autres d'opposer les Romains aux Etrusques.

La civilisation plus raffinée des Etrusques (qui avaient déjà des livres à l'époque où les Romains étaient encore analphabètes) (24) parait avoir été libérale envers les femmes : celles-ci avaient des noms propres et personnels quand les

Romaines — ainsi que Lucrèce — ne portaient que leurs noms gentilices. Les hommes faisaient figurer le nom de leur mère à côté de celui de leur père, et les urnes funéraires qui ont été retrouvées (de même d'ailleurs que le beau sarcophage polychrome qui figure au musée archéologique de Florence) paraissent donner souvent aux femmes une place prépondérante (25).

L'anéantissement du pouvoir féminin n'a sans doute été qu'un signe de la destruction sur quoi s'est établie cette nouvelle culture romaine marquée principalement par l'édification d'un droit.

Aussi l'installation des premières lois romaines écrites — les XII Tables — est-elle signalée par le meurtre d'une femme : Virginie.

L'histoire de Virginie est narrée par plusieurs auteurs : Diodore, Cicéron, Dion Cassius, Pomponius, Denys d'Halicarnasse et surtout Tite-Live. Elle présente avec l'aventure de Lucrèce un certain nombre d'analogies et aussi de différences : de même que Lucrèce, Virginie éveille le désir d'un haut personnage, le décemvir Appius Claudius. Mais alors que Tarquin avait utilisé la force brutale envers Lucrèce, Appius Claudius essaiera d'utiliser les voies de droit. Etant prêteur, il fera réclamer Virginie comme esclave par l'un de ses affranchis. Dans ce cas, la personne réclamée, homme ou femme, selon la procédure des XII Tables, ne pouvait se défendre elle-même, mais avait besoin pour cela d'un *adsertator libertatis*. Virginie, n'étant pas mariée, ne pouvait être réclamée que par son père, Virginius. Celui-ci, revenu à la hâte des armées, se présenta à l'audience, mais Appius Claudius, sans écouter les parties, sans pouvoir donc attribuer les *vindiciae* comme le dit Tite-Live sans aucun doute par erreur, car les *vindiciae* ne pouvaient s'attribuer sans audition des parties, prétendit avoir eu personnellement connaissance du vol de l'esclave — Virginie — et, appliquant soudain une procédure inattendue (difficile à rétablir aujourd'hui mais apparentée probablement à celle qui réglait le *furtum manifestum,* c'est-à-dire le flagrant délit), attribua par une ruse judiciaire, la jeune fille à son affranchi (26).

Aussi, lorsque le prêteur Appius Claudius, sans écouter les menaces du père, ordonne : *Lictor, submove turbam et da viam domino ad pretendum mancipium,* le père, ayant obtenu de se rapprocher de sa fille, la poignarde en disant : *Hoc te uno quo possum modo, filia, in libertatem vindico.* (Par le seul moyen qui me reste, je revendique ta liberté, ma fille.)

Si l'on compare cette aventure à celle de Lucrèce, il faut d'abord observer que dans une première version, Virginie était comme Lucrèce victime d'un attentat direct commis par la violence. Les différentes modifications apportées au second récit ont donc un sens :

1° Virginie meurt avant le viol. Lucrèce après.

2° Lucrèce se tue elle-même. Virginie est condamnée à l'esclavage par la loi civile et exécutée par son père au nom des *mores.*

3° Le viol de Lucrèce aboutit à la chute de la monarchie. Le meurtre de Virginie aboutit à la chute des Decemvirs et à la Sécession de la plèbe.

Dans les deux cas, ces épisodes aboutissent à un changement politique, mais, alors que le progrès juridique (la rédaction des XII Tables) a permis « l'économie » du viol de Virginie (puisque la tentative « d'abus de pouvoir » de la part du prêteur échoue), ce progrès juridique va visiblement de pair avec la passivité — devenue absolue — de la femme.

Alors que Lucrèce prenait une initiative, Virginie n'est qu'un objet qui ne souffle mot. La seule observation que Tite-Live fait à son sujet est celle-ci : *Pavida puella stupente...*, la jeune fille pâle de terreur...

Virginie est littéralement décolorée : elle n'est qu'un mannequin muet que s'arrachent les différents systèmes virils : la loi, la famille, la religion et l'honneur.

C'est la preuve du triomphe de la loi romaine.

Voilà bien ce que pressentent les Romaines désabusées qui assistent aux débats, et qui, selon Tite-Live, murmurent : « Voilà quel sort attend les enfants que nous mettons au monde, voilà la récompense de la vertu... »

La vertu exigée des matrones est déjà éprouvée comme une duperie, un mirage destiné à faire des femmes, non seulement des victimes, mais des victimes consentantes.

Ici, on objectera que le procès de Virginie ne se serait pas déroulé autrement s'il s'était agi d'un homme, fils de famille. Il y a pourtant une grande différence : un homme attribué comme esclave selon les *vindiciae* ou par tout autre moyen, aurait pu espérer recouvrer la liberté plus tard sans être déshonoré. Les procès de liberté — celui-là fût-il perdu — pouvaient être indéfiniment renouvelés.

C'est seulement la condition féminine de Virginia qui rend la situation irréversible. Violée par le prêteur, elle ne serait plus négociable, comme l'indique, selon Tite-Live, le fiancé de la jeune fille, Icilius : *Verginius viderit de filia, ubi venerit, quid agat : hoc tantum sciat, sibi, si hujus vindiciis cesserit, condicionem filiae quaerendam esse. Me vindicantem sponsam in libertatem vita citius deseret quam fides.* Il est prêt à donner sa vie, mais il n'épousera jamais une femme qui a été esclave.

Cet épisode illustre aussi l'opposition droit/justice, perçue très tôt par les Romains — non, certes dès l'époque des Decemvirs — mais à celle où Tite-Live écrivait son récit, et formulée dans le Digeste par l'expression : *Summum jus, summa injuria.*

Cette force extérieure appelée justice qui *corrige* le droit (ce dont il a certes bien besoin) se pose semble-t-il dans toutes les sociétés comme une force immanente et hors-système. Virginius tue sa fille au nom d'une justice qui n'est autre que les *mores,* c'est-à-dire le système familial plus ancien que le droit strict (mais tout aussi « injuste » si l'on adopte un point de vue moderne).

Plus tard, en France, le privilège du roi d'évoquer tout procès au mépris de la procédure ordinaire, paraît moins être une manifestation de l'arbitraire, que la mise en place d'un pouvoir capable de balancer l'imperfection du droit. Le pouvoir « juste » se signale généralement par l'ignorance — voulue ou non — des règles du droit et de la procédure. Si Antigone refuse de connaître les lois écrites, saint Yves, patron des avocats, lui rend des points, au moins dans cette légende :

Un paysan breton ayant été volé de trois cents écus, soupçonna son apprenti et le « voua » à saint Yves, lequel — plus redoutable encore que la justice régulière — avait pour fonction de faire mourir le coupable quel qu'il soit. A peine l'épouse du paysan eût-elle appris cela, qu'elle s'accusa de la soustraction des écus, mais il était trop tard et elle mourut dans l'année.

Saint Yves a ignoré non seulement la procédure, mais la

loi et la coutume qui font qu'il n'y a pas de vol entre époux. Il n'en faut pas plus pour que la justice éclate : l'ignorance du droit en est le signe.

Aujourd'hui, la fonction de justice appartient à l'opinion publique. Ce qui est *juste* n'est plus ce qui était juste hier, mais ce qui sera juste demain. Cela est peut-être préférable mais comporte des incertitudes.

Il est intéressant que les deux partis qui se sont affrontés au moment de la discussion sur l'avortement, se soient réclamés tous deux de la justice : celle du passé et celle de l'avenir, tous deux d'ailleurs, s'appuyant, parfois sans le savoir, sur les besoins de l'espèce : hier son augmentation, demain, sa réduction.

Mais ce qui est accepté comme juste est nécessairement fondé sur un besoin social présent, même si les apparences sont contraires : l'acte de Virginius, s'il réaffirme les valeurs ancestrales, est aussi annonciateur de la Sécession de la plèbe : il signifie que les plébéiennes sont aussi respectables que les patriciennes et que la liberté doit être la même pour tous les citoyens romains. Virginius prendra — à la suite de cet épisode, la tête de la sécession : ce qui passe pour la justice ici, c'est l'annonce d'un nouveau système social.

On peut se demander si plus tard en 186, les Bacchantes ne procédèrent pas de la même façon en se réclamant du passé pour essayer de promouvoir sous son couvert des valeurs nouvelles. On observera d'abord que, selon Tite-Live, le culte de Bacchus est d'origine étrusque, que le lieu des réunions est l'Aventin qui évoque à la fois les origines étrusques de la cité et les sécessions de la plèbe.

Les Bacchantes se réunissent donc sur l'Aventin.

Ce sont des femmes de toutes conditions. Elles ont exclu les hommes adultes et ne tolèrent que les jeunes gens. On compte parmi elles nombre de « vertueuses matrones » dont la littérature et l'histoire romaine ont laissé le modèle à nos institutions.

Avec une facilité qui évoque la provocation, elles revêtent cette νεβρίς qui apparaît dans *Les Bacchantes* d'Euripide, et elles se livrent, non seulement à la danse, mais à l'ivresse et à la débauche, ce qui signifie — car ce n'est là qu'un signe — qu'elles violent délibérément les anciens tabous du sang, l'interdiction du vin et de l'adultère.

On peut même se demander si les crimes dont elles furent accusées n'étaient pas essentiellement l'usage de drogues abortives qui constituait, selon Plutarque, le troisième tabou du sang.

Enfin, s'il restait un doute sur le caractère féministe de ces réunions, où les jeunes gens ne furent sans doute admis que pour permettre la fameuse *turbatio sanguinis* si redoutée des Romains, il serait levé par la considération du châtiment qui suivit :

D'un côté les coupables furent remises à leurs cognats ou bien à ceux dans la *manus* de qui elles se trouvaient (c'est-à-dire les pères et les maris), ce qui était une manière de rappeler qu'avant tout, les femmes étaient soumises aux hommes de leurs familles et que l'ordre viril antique n'avait pas cessé d'être. Inutile de dire que le conservateur Caton fut bien probablement à l'origine de cette décision.

De l'autre côté, la délatrice Hispala Fescennia, affranchie rétrograde dont la stupidité transparaît au travers du récit de Tite-Live, fut couverte d'honneurs absurdes — tels que par exemple, la *tutoris optio,* le droit de choisir un tuteur, alors que jusqu'à présent, en tant que courtisane, elle avait pu s'en passer. La voilà donc désormais pourvue d'un maître et flattée de participer ainsi à l'ordre viril. La servitude de la femme est la seule qu'on ait jamais réussi à faire passer pour un honneur.

Les victimes survivantes et humiliées cherchèrent à se venger. Mais elles avaient compris que les voies de la rébellion ouverte étaient trop risquées. Cette fois-ci, elles choisirent le poison. Une mystérieuse épidémie se déclara bientôt à Rome. Elle frappait surtout des hommes de haut rang tels que le prêteur T. Minicius et le consul C. Calpurnius Piso. Quarta Hostilia, veuve du consul Calpurnius fut condamnée, mais ce n'était pas la seule coupable.

L'empoisonnement est peut-être le seul crime qui soit, aujourd'hui encore, typiquement féminin. Sur dix affaires de poison, neuf aboutissent à la condamnation d'une femme. Ce n'est pas seulement parce que la femme manie la nourriture et qu'elle est habile à l'usage des drogues — qu'il s'agisse du philtre d'amour donné par la mère d'Yseult ou des φαρμακεία de Plutarque, c'est aussi parce que la violence ouverte a été réprimée chez elle de manière constante et terrible. C'est donc de façon détournée qu'elle satisfait à ce penchant humain de la révolte : ou bien par la sorcellerie (avec toute la science que celle-ci implique parfois) ou bien en s'associant aux révoltes des hommes opprimés qui ont toujours plus de chances de réussir, même si elles n'en n'ont pas beaucoup.

C'est une ancienne Bacchante qu'on retrouvera aux côtés de Spartacus au moment de la révolte des esclaves, comme c'est une femme qui se penchera la première sur le sort des Noirs américains et une femme encore, Ellen Jackson, qui pensera la première à l'injustice faite aux Indiens, sans parler des étudiantes russes anarchistes qui commencèrent une révolution dont elles ne profitèrent pas.

L'affaire des Bacchanales offre donc un excellent modèle : la révolte écrasée aboutit à deux types d'action :

L'action souterraine d'un côté,

De l'autre, une action révolutionnaire indirecte, permanente, et, selon le terme anglais qui n'a pas en français d'équivalent exact, « vicarious ».

Mais, que la révolution réussisse ou échoue, la femme est toujours défaite, écrasée avec les vaincus ou remise en esclavage par les vainqueurs, une fois qu'ils l'ont utilisée.

Tel fut le sort de la femme soviétique, et on ne remarque pas que les Noirs américains — alors que ces dernières années encore, ce sont en majorité des femmes, des étudiantes blanches qui ont été dans le sud veiller au respect de leur liberté civile en risquant parfois leurs vies — soient plus féministes que d'autres, bien au contraire.

Dans la révolution pacifique ou violente, comme dans la guerre ou dans la paix, la femme est employée momentanément pour être rejetée ensuite dans la servitude.

VI

LES COORDONNEES FEMININES ESPACE ET TEMPS

> « Vous me demandez quel est le suprême bonheur ici bas ?
>
> C'est d'écouter la chanson d'une petite fille qui s'éloigne après vous avoir demandé son chemin. »
>
> LI-TAI-PO.

Le terme d'espace recouvre des notions bien différentes : il existe pour chacun un espace matériel et un espace mental. Ces deux catégories ont en commun ce point de pouvoir être envahies : l'une par la violence, l'autre par l'indiscrétion.

Dans notre monde, l'espace matériel est lié à différentes fonctions : l'une est la domination et la servitude (on « occupe » une région, un pays est « occupé », on administre, on est administré), une autre est la hiérarchie : on est assis plus ou moins loin d'un souverain ou d'un maître de maison, un professeur trône sur une chaire et ses élèves sont assis sur des bancs, un avocat se voit assigner dans les chambres un lieu qui le distingue de son client.

Au reste, une cour de justice est un bon exemple de la fonction hiérarchique de l'espace : à une certaine hauteur, les juges et le Parquet (ce terme signifie d'abord « petit parc », emplacement réservé), à une autre, le greffier, au premier rang les hommes de loi, plus loin, les assistants.

Bref, cette conception de l'espace reflète parfaitement systèmes et hiérarchies : les uns s'étalent, les autres se resserrent, les uns sont en haut, les autres en bas. En largeur, en longueur, en hauteur, l'ordre s'instaure par la division, la disposition de l'espace est avant tout pour l'homme une image de puissance, le maximum de la puissance étant atteint quand on peut disposer de l'espace d'autrui comme le montre fort bien ce texte de Victor Segalen extrait de *Briques et Tuiles* (1) :

« Voici le cœur de la ville, le Centre vagabond de la Cité Mongole et Chinoise, et Mandchoue. Les princes la faisaient à leur gré, et la rasaient à leur colère. Ils jouaient avec elle, la déplaçant de cinq li vers le Nord ou vers le Sud comme nous poussons un meuble encombrant. Trop grande ? On raccourcissait les villes. Très immenses, on encadrait tout de murailles, les retouchant ainsi qu'un chalet de bois menuisé; et quand le Maître en désirait une autre, il la dessinait ici, comme les allées d'un petit jardin que l'on plante à son gré. »

Le fonctionnement de l'espace mental n'est pas aussi différent de ce schème qu'on pourrait le supposer : « remettre les gens *à leur place* », c'est leur assigner une position bien définie par rapport à soi, des droits de la pensée, des droits du cœur, et la possibilité d'adresser la parole selon tel ou tel langage. Il y a des idées ou des mots qui sont *déplacés* chez certains en raison de leur position sociale, de leur âge ou de leur sexe, et ces distinctions, avec des formes différentes, demeurent partout aujourd'hui.

L'espace de l'esprit est divisé selon des règles aussi strictes que l'autre : il faut que chacun s'y conforme à moins d'encourir une sanction sociale qui peut aller du mépris silencieux à l'exclusion pure et simple du groupe.

A partir du moment où chacun répond à la position qui lui est assignée, il devient facile pour quelqu'un du dehors de théoriser sur tel ou tel groupe qui se comporte d'une manière ou de l'autre, qui s'exprime ainsi ou autrement (alors qu'il n'a pas le choix) et de l'insérer dans un bel ensemble littéraire ou scientifique dont il aura la gloire d'avoir déterminé les règles.

Matériel ou mental, l'espace de l'homme est un espace de domination et de hiérarchie, un espace de conquête et d'étalement, un espace *plein.*

La femme au contraire a appris de longue date à respecter non seulement l'espace matériel et mental d'autrui, mais l'espace pour lui-même, l'espace *vide.* C'est qu'il lui faut maintenir entre elle et les hommes qu'elle n'a pas choisis une distance qui est sa sauvegarde. Quant à ceux qu'elle a pu choisir, il faut aussi, pour éviter l'anéantissement total, pour se dérober à la vocation colonisatrice habituelle de l'homme, se ménager des plages, une espèce de *no man's land,* qui constitue précisément ce que les hommes ne comprennent pas chez elle et attribuent souvent à la stupidité car elle ne peut pas en exprimer la substance dans le langage aliéné qui est fatalement le sien.

Le *vide* est donc pour elle une valeur respectable. Il n'est donc pas étonnant que ce soit une femme — Simone Weil — qui ait écrit dans un chapitre de *L'attente de Dieu* significativement intitulé : *Accepter le Vide :*

« Aimer la vérité signifie supporter le vide... » et encore :

« Ne pas exercer tout le pouvoir dont on dispose, c'est supporter le vide. Cela est contraire à toutes les lois de la nature : seule la grâce le peut. »

Il est intéressant que Simone Weil, entièrement aliénée par sa formation dans la culture virile, en vienne à confondre ce qui est masculin et ce qui est naturel (par opposition avec ce qui est surnaturel).

Et, dès lors, ce qui est féminin (et réprimé chez elle puisqu'elle n'était pas même féministe, selon sa biographe Simone Pétrement) (2) devient aussitôt « surnaturel ». « Supporter le vide » n'est pas en effet « surnaturel », c'est simplement féminin.

Ces observations ne tendent d'ailleurs nullement à réduire l'œuvre de Simone Weil à des signifiés relatifs à sa condition. Elles n'excluent pas d'autres interprétations. Les œuvres sont comme les rêves : elles peuvent avoir plusieurs sens. On se garde ici d'en vouloir réduire aucune à un seul.

Cependant, la notion de *vide* comme valeur positive mérite d'être retenue et signale Simone Weil comme un précurseur de la pensée moderne (Claude Lévi-Strauss n'a-t-il pas écrit que si la nature avait horreur du vide, la culture avait horreur du plein ?)

Mais le « plein » et le « vide » peuvent se concevoir de différentes manières. Ainsi ce beau passage de Chateaubriand (3) : « Je n'ai devant les yeux, des sites de la Syrie, de l'Egypte et de la terre punique, que les endroits en rapport avec ma nature solitaire; ils me plaisaient indépendamment de l'antiquité, de l'art et de l'histoire. Les pyramides me frappaient moins par leur grandeur que par le désert contre lequel elles étaient appliquées : la colonne de Dioclétien arrêtait moins mes regards que les festons de la mer le long des sables de la Lybie », apparaît comme « plein de soi » dans la mesure où l'auteur ne se sert du monde extérieur que pour constituer son propre double symbolique. Mieux, la culture virile (colonnes et pyramides phalliques) paraît être rejetée au profit de la nature — le désert et la mer, valeurs féminines par le vide qu'elles imposent, alors qu'elle l'est seulement pour faire place à l'image solitaire et maritime de François de Chateaubriand.

Ce type de vision axée sur soi (ou parfois, chez d'autres, sur leurs théories personnelles) peut aboutir certes à des résultats remarquables, mais aussi, comme nous le verrons, à une véritable mythologisation de soi-même et des autres. Examinons donc ce texte étonnant (4) :

« La langue des matelots n'est pas la langue ordinaire : c'est une langue telle que la parlent l'océan et le ciel, le calme et la tempête. Vous habitez un univers d'eau parmi des créatures dont le vêtement, les goûts, les manières, le visage, ne ressemblent point aux peuples autochtones : elles ont la rudesse du loup marin et la légèreté de l'oiseau; on ne voit point sur leur front les soucis de la société; les rides qui le traversent ressemblent aux plissures de la voile diminuée, et sont moins creusées par l'âge que par la bise, ainsi que dans les flots. La peau de ces créatures, imprégnée de sel, est rouge et rigide, comme la surface de l'écueil battu de la lame. »

Ici le marin est constitué en monstre métaphorique dont tous les attributs ont une correspondance avec la mer et ce qui en approche.

Ce type de métaphore peut être appelé — en reprenant la terminologie utilisée par Gérard Genette dans *Figures III* (5), une métaphore diégétique, c'est-à-dire qui prend sa source dans la métonymie. C'est parce que le matelot vit parmi les écueils, les oiseaux de mer, les poissons et les voiles, qu'il constitue lui-même une métaphore de la mer.

On pourrait croire à première vue que cette métaphore non seulement rapproche le matelot de la mer, mais le rapproche aussi de Chateaubriand. N'est-il pas comme lui un homme de la mer qui s'exprime dans le langage du ciel ?

Mais il ne faut pas s'y tromper : le matelot n'est qu'une « créature chimérique », non seulement parce qu'il est mi-loup de mer, mi-oiseau, mais parce que, sous le couvert de la métaphore, protectrice comme le chapeau haut de forme du prestidigitateur qui attire à lui l'attention des assistants et la détourne des mains habiles, le matelot du signifié — qui paraissait être celui que Chateaubriand avait véritablement cotoyé au cours de ses voyages, celui qu'il avait observé par lui-même, est devenu subrepticement le matelot abstrait, mythique, celui qui sillonne le folklore breton que Chateaubriand connaissait fort bien, celui qui est lié à la mer par un rapport interne et mystérieux, comme en témoigne cette histoire recueillie par Anatole Le Braz dans *La légende de la Mort chez les Bretons armoricains* (6) :

« Et c'était vrai. La vie allait et venait en lui tantôt plus et tantôt moins, selon que la mer montait ou descendait. Il nous disait de ne pas nous en étonner, que cela était habituel chez les marins, quand ils étaient, comme lui, sur le point de quitter ce monde.

A l'aube du quatrième jour, comme je lui apportais de la soupe chaude, il me demanda :

— C'est grande marée aujourd'hui, n'est-ce pas, Betrys ?

— Oui, père, fis-je. Pourquoi ?

— Parce que c'est la fin qui approche, mon enfant. Remporte cette soupe : je n'ai goût de rien. »

Or, ces matelots qui participent de la mer, sont tout naturéellement soumis à son rythme qui devient peu à peu chez Chateaubriand une forme cosmique de la discipline :

« La cloche interrompait nos conversations; elle réglait les quarts, l'heure de l'habillement, celle de la revue, celle des repas. Le matin, à un signal, l'équipage rangé sur le pont, dépouillait la chemise bleue pour en revêtir une autre qui séchait dans les haubans. La chemise quittée était immédiatement lavée dans des baquets, où cette pension de phoques savonnait aussi des faces brunes et des pattes goudronnées.

Aux repas du midi et du soir, les matelots, assis en rond autour des gamelles, plongeaient l'un après l'autre, régulièrement et sans fraude, leur cuiller d'étain dans la soupe flottante au roulis... »

L'émotion esthétique que Chateaubriand cherche à communiquer ici est celle qui le saisit à la vue de la discipline exemplaire et rythmée qui règne sur le navire. C'est merveille de voir ces animaux hybrides comme des phoques, être aussi bien dressés, propres et obéissants... La hiérarchie respectée achève ici l'œuvre de séparation : d'un côté les monstres mythiques mi-hommes bi-bêtes, de l'autre, Chateaubriand qui les contemple.

Par contre, Flora Tristan, faisant voile quelques années plus tard vers l'Amérique du Sud, écrit (7) :

« ... J'ai vu des matelots dont la chemise de laine et le pantalon étaient *gelés sur eux* *, ne pouvant faire aucun mouvement sans que leur chair ne fût meurtrie par le frottement de

(*) Souligné par l'auteur.

la glace sur leurs membres engourdis de froid... Il est arrivé, au cap Horn, à plusieurs capitaines, d'être forcés, afin de se faire obéir, de commander avec un pistolet chargé à chaque main, les matelots se refusant à monter dans les hunes. Le froid excessif fait tomber le matelot dans une démoralisation qui le rend absolument inerte; il résiste à la prière, il supporte les coups sans que rien puisse le faire mouvoir. Quelquefois ces malheureux sont pris par l'onglée; et s'ils se trouvent alors dans les hunes, ils se laissent choir au risque de se tuer, tant leurs mains sont douloureuses ou engourdies. Si ces hommes étaient bien couverts, s'ils avaient une capote imperméable qui garantît leurs vêtements de laine de toute humidité, ils pourraient, avec une nourriture convenable, supporter tel degré de froid que ce fût... »

Nous commençons à comprendre pourquoi la peau surnaturelle des marins de Chateaubriand est « imprégnée de sel, rouge et rigide comme la surface de l'écueil... » et par la même occasion pourquoi la discipline navale est exemplaire. Chateaubriand renvoie au mythe du matelot. Flora Tristan fait un effort pour supprimer la distance mise entre lui et les autres hommes afin de le voir tel qu'il est et de le comprendre.

Et de même, il se pourrait que le « vrai matelot » ne soit pas cette âme enfantine pour qui « tout s'anime » : « ... une ancre, une voile, un mât, un canon, sont des personnages qu'on affectionne et qui ont chacun leur histoire... » mais plutôt, comme le suggère Flora Tristan :

« Le vrai matelot ne s'attache à rien, n'a aucune affection, n'aime personne, pas même lui. C'est un être passif, servant à la navigation, mais aussi indifférent que l'ancre quant à la plage où le bâtiment mouillera... »

Avouons-le : le vrai matelot, comme la femme, n'est ni un monstre, ni un dieu, ni un enfant, c'est un malheureux qui croit stupidement la mythologie inventée pour lui et qui s'applique à imiter un modèle proposé et à ressembler à cette créature mi-divine, mi-animale, ce qui le rejette aussitôt hors de l'humanité.

Rien ne serait cependant plus absurde que de critiquer Chateaubriand pour son absence de réalisme et Flora Tristan pour son manque d'élégance littéraire. Quelle que soit la puissance du langage (ou plutôt, reliée à lui dans des profondeurs si lointaines qu'il est pour l'instant presque impossible d'en établir la trace chez un individu donné) il existe une conception du monde extérieur, de l'espace extérieur, de l'espace de l'autre, qui est profondément différente chez les deux auteurs :

Chateaubriand colonise poétiquement.

Flora Tristan considère. Son monde est l'*envers* de celui de Chateaubriand.

Il y a pourtant quelque injustice à mettre en regard l'un des plus grands écrivains français et une pauvre fille qui ne connaissait pas encore l'orthographe à vingt ans.

Cette injustice disparaît si l'on compare à présent deux textes plus récents, écrits dans les années 30 respectivement par un homme et une femme qui ont traversé l'Asie ensemble, et qui, de plus, sans se consulter, ont décrit la même scène dans leurs ouvrages respectifs. Il s'agit d'Ella Maillard, auteur de : *Oasis Interdites* (8), et de Peter Fleming, auteur de *News from Tartary* (9).

Texte d'Ella Maillard : « Dzoum No Ye est assis à la turque sur une vieille peau de mouton; sur sa tête, posé à la diable, est un calot de feutre brun soutaché d'or et doublé de fourrure; sa pelisse de mouton est recouverte de satin rouge. Agé de vingt-six ans peut-être, il est beau : yeux à peine bridés, nez mince et bouche petite dans un visage rond aux pommettes bombées. Il porte une turquoise à son doigt, une grande boucle à une seule de ses oreilles, et autour de son cou, comme tous ses compatriotes, la boîte métallique d'une amulette.

Impassible, Dzoum écoute le compliment intimidé que Li lui débite en Mongol. Le feu d'argols qui brûle devant lui fait chanter le thé dans un pot de cuivre. On nous offre du beurre contenu dans une boîte de bois, nous sortons nos bols de nos vestes, et j'aspire avec délices le thé beurré et fumant qui fait revivre mes mains engourdies. L'argent mat dont est doublée la coupe du prince luit doucement lorsqu'il a fini de boire. »

Texte de Peter Fleming : « Le prince devrait, j'en suis conscient, être un personnage romantique, véritable descendant de la lignée des Gengis Khan, cavalier, botté, la hache au poing, les yeux flamboyants, fier, hautain, et habituellement détaché en silhouette sur la ligne d'horizon... Mais mon Dieu, ce n'est pas la Metro-Glodwyn Meyer qui a fait le prince, et je dois vous dire ce que j'ai vu, non ce que vous pourrez voir vous-mêmes quand Hollywood se déchaînera en Tartarie.

La tente du prince, par la vertu d'une décoration bleue, se détachait un peu des autres; mais à l'intérieur, on n'avait même pas essayé de la rendre somptueuse. Des feutres sales couvraient le sol; des paquets et des boîtes étaient empilés le long du périmètre de la tente. Une demi-douzaine d'hommes étaient accroupis autour d'un feu de bouse. Ils nous laissèrent à la place d'honneur qui est la gauche de l'arrière de la tente quand on entre. Le prince ne nous accueillit pas cordialement, il aurait été en dessous de sa dignité de montrer de la surprise ou de la curiosité. Il me rappelait un chat. D'abord à cause de la manière dont ses yeux bougeaient, la façon dont il s'asseyait en nous observant, et ensuite, lorsque je le vis marcher, dans son allure même. C'était un jeune homme ayant à peine dépassé la trentaine, bien qu'il soit difficile de juger l'âge de ces gens-là. Il portait un bonnet bordé de fourrure d'écureuil et une vaste robe d'écarlate, elle aussi bordée de fourrure. C'était un homme qui faisait peu de manières, mais, bien qu'il reçoive peu de signes extérieurs de respect, sa loi paraissait être respectée, car tout le temps que nous voyageâmes avec lui, nous eûmes conscience que c'était sa volonté qui dirigeait la caravane. »

Ella Maillard attache une certaine importance à l'aspect physique du prince, à ses vêtements et à ses bijoux. Le prince est appelé par son nom propre et il n'est comparé à rien d'autre, ni dans l'ordre culturel ni dans l'ordre naturel. Il ne prend place dans aucune hiérarchie. Aucune allusion n'est faite à sa position de chef. Aucune supposition sur sa personne. Il se meut dans son espace intérieur sans qu'on cherche à le définir par rapport à autre chose que lui-même, c'est-à-dire à le limiter.

Quant à l'espace physique de séparation, cet espace qui divise nécessairement les êtres, il est rempli aussitôt par ce qui réunit : le feu et le thé. Dzoum No Ye, avant d'être un étrange prince mongol, est un homme jeune et beau, qui boit, qui se chauffe et qui reçoit ses hôtes comme tous les hommes du monde.

Au contraire, la description de Peter Fleming peut, au point de vue des signifiés, se décomposer ainsi :

1° Ce que je vous propose, *moi,* c'est une description très supérieure à celle qu'Hollywood pourrait vous offrir. (Je suis donc très supérieur à ce qui représente une part de ma culture : je dis la Vérité...)

2° La tente du prince est un espace social destiné à signifier les hiérarchies : par sa décoration elle se distingue des autres tentes, mais par sa saleté, elle s'en rapproche. (L'essentiel est d'ailleurs que cet espace respecte *ma suprématie* en m'offrant la place d'honneur qui m'est due.)

3° Bien qu'il m'ait fait asseoir à la place d'honneur, le prince *n'a pas manifesté assez d'intérêt pour ma présence,* il se rapproche donc de l'ordre naturel : c'est un chat.

4° Mais ce jeune homme (sommairement décrit) est tout de même un prince (c'est-à-dire une valeur sociale intéressante) puisque les autres hommes lui obéissent.

On voit tout de suite dans quel réseau le prince est placé :

1° Dans l'espace (la Tartarie, la tente, à une certaine distance signifiante de l'auteur).

2° Dans le temps : la lignée des Gengis Khan.

Il reste dans tout cela assez peu d'espace (fût-il typographique...) pour le prince lui-même. Sa culture méprisée l'engonce sous toutes sortes de références, y compris celle que constitue l'auteur lui-même.

Ce texte aide à comprendre l'hostilité de la femme à l'égard des données spatiales : ce sont celles qui séparent et qui excluent.

Cette impression se retrouve dans ce texte d'*Orlando* où Virginia Woolf (10) imagine une visite officielle au sultan de Turquie :

« La cérémonie était toujours la même. En atteignant la cour, les Janissaires frappaient de leurs éventails le portail principal qui s'ouvrait aussitôt sur une grande pièce magnifiquement meublée. Ici étaient assises deux silhouettes de sexes généralement opposés. On échangeait de profonds saluts et révérences. Dans la première salle, il était seulement permis de mentionner le temps. Après avoir dit qu'il était sec ou humide, beau ou froid, l'ambassadeur passait dans la pièce suivante où deux autres silhouettes se levaient pour le congratuler. Là, il était seulement permis de comparer Constantinople avec Londres comme lieu de résidence; et l'ambassadeur disait naturellement qu'il préférait Constantinople tandis que ses hôtes répondaient naturellement qu'ils préféraient Londres bien qu'ils ne l'aient jamais vue. Dans la salle suivante, les santés du roi Charles et du sultan devaient être discutées pendant un certain temps.

Dans la suivante, la santé de l'ambassadeur et celle de la femme de son hôte étaient discutées, mais plus brièvement. Dans la suivante, l'ambassadeur complimentait son hôte sur ses aménagements tandis que celui-ci complimentait l'ambassadeur sur ses vêtements. Dans la suivante, on offrait des sucreries, l'hôte déplorait leur insignifiance et l'ambassadeur exaltait leur supériorité. La cérémonie se terminait par un hooka et une tasse de café; mais, bien que tous les gestes du boire et du fumer fûssent scrupuleusement respectés, il n'y avait ni tabac dans les pipes ni café dans les verres : si la fumée ou la boisson avaient été véritables, le contexte humain aurait sombré sous cet excès. »

Ici l'espace (la succession des pièces) est lié aux formalités dépourvues de sens qui annihilent entre les hommes toute relation profonde. Il est par excellence *séparation,* non seulement séparation physique, puisque chaque fois que l'ambassadeur quitte une pièce, il abandonne ses interlocuteurs, mais séparation mentale puisque le sujet de la conversation en est obligatoirement modifié. L'univers de l'homme apparaît comme une série de tiroirs qui contiennent chacun un rôle différent, un immense système qui n'aboutit à aucune vérité, de même que les formes scrupuleusement suivies n'amènent qu'à une pipe sans tabac et un verre sans café, image même du système viril : des formes seules qui, les unes au nom des autres, aboutissent à détruire la vie elle-même.

Si donc, Elle Maillard a *ignoré* l'espace, Virginia Woolf, l'a *caricaturé.*

L'espace est donc pour la femme, par définition, un lieu de frustration physique, moral et culturel. C'est aussi par excellence le lieu du système et de la hiérarchie. L'espace interdit devient bientôt l'espace détesté, puis l'espace ignoré, c'est-à-dire nié.

Il n'est peut-être pas inutile d'évoquer ici certaines expériences singulières relatées par le docteur Nils O. Jacobson dans son ouvrage *Life without Death* (11). L'auteur y prétend que des voix appartenant à des morts — et donc à des êtres privés de substrats temporel et spatial, ont pu être enregistrées par l'expérimentateur Friedrich Jurgenson. Que ces expériences soient fallacieuses ou non n'importe pas ici. Que ces voix existent ou soient le produit de l'imagination humaine revient à peu près au même. Voici comment elles sont figurées : « Très souvent les phrases consistent en mots pris à différents langages. Les mots sont grammaticalement modifiés, compressés, raccourcis, ou bien ont des suffixes d'un langage différent : les résultats sont un style télégraphique personnel avec un rythme marqué. »

Cette vision d'un langage dégagé des coordonnées espace/temps recoupe singulièrement le témoignage recueilli d'une Bretonne par Anatole Le Braz, au sujet d'une barque de rameurs fantômes (12) :

« Les voix venaient de la mer dont notre maison (celle-la même que j'habite encore) n'était séparée que par la route. C'étaient évidemment les voix de quatre rameurs. Ce qu'il y avait de bizarre, c'est que chacun d'eux avait l'air de parler dans une langue différente. Quelques mots arrivèrent jusqu'à moi. Je les ai retenus; les voici :

— Hourra... Sinemara... Dali... Ariboué...

Anglais, espagnol, italien, il y avait peut-être là dedans de tout cela à la fois. Il me semble aussi que l'un des hommes du canot mystérieux s'exprimait en breton. Mais, dans ce charabia de langues, et surtout à cause du vent, je ne pus distinguer ce qu'il disait. »

Il semble donc que l'esprit humain établisse un lien très instructif entre l'absence d'espace/temps et l'absence de grammaire. En d'autres termes, les fantômes, comme les femmes, sont réputés souffrir — pour les mêmes causes sans doutes — d'une aphasie de la contiguité tandis qu'ils continuent à bénéficier de la fonction de similarité. Et en effet, les femmes, pendant des siècles *retranchées* de l'espace, subissant le temps sans aucun moyen de le récupérer par l'action, ont été uniquement poétesses beaucoup plus longtemps que les hommes.

Il existe une vision des ensembles spatiaux liée à la géographie et à l'articulation des éléments entre eux, et il en existe une autre, tout aussi intéressante, qui s'attache à chacun des éléments et non à la relation qu'ils entretiennent entre eux. Ainsi s'exprime dans son ouvrage *L'Enigme,* Jan Morris (13), qui, après avoir été homme, est devenu femme :

« Je ne crois pas que les hommes ressentent ce contact immédiat avec le monde qui les entoure; pour moi, c'est l'un des charmes et stimulants constants que comporte mon nouvel état.

Qu'est-ce que je remarque quand je descends vers le quartier des magasins ? Peut-être ne vois-je pas les perspectives de la place du rond-point d'une façon aussi rêveuse qu'autrefois : au lieu de cela mon regard est attiré par l'intérieur des maisons entrevu à travers les rideaux, les heurtoirs polis, les détails d'une architrave ou d'une plaque sur une porte. Je regarde les lieux d'une façon plus intime, peut-être parce que je me sens enfin intégré à la vie de la cité. Je ne suis plus l'observateur entièrement détaché, presque étranger, je fais corps avec la ville, je suis liée par une empathie active aux choses les plus simples... »

Cette opinion paraît entièrement en accord avec celle exprimée par Virginia Woolf dans *Orlando* où elle a précisément imaginé la situation dans laquelle se trouve effectivement Jan Morris, c'est-à-dire, la transformation d'Orlando en femme :

« Elle ignorait la géographie, trouvait les mathématiques intolérables et avait quelques caprices plus répandus chez les femmes que chez les hommes tels que celui qui consiste à croire que voyager vers le sud se confond avec descendre vers l'aval... »

Cependant, à partir du moment où la femme conçoit l'espace, non plus selon sa fonction séparatrice, mais comme une fonction de rapprochement, elle devient aussitôt voyageuse intrépide et au besoin topographe, comme Alexandra David Neel, capable de se diriger sans carte dans les pistes de l'Himalaya ainsi qu'elle le raconte dans *Voyages d'une Parisienne à Lhassa* (15) : « Je tâchai de me remémorer très exactement tout ce que je savais concernant la topographie de l'endroit. Une route partait de Dayul allant à Dowa, elle ne m'intéressait pas. La piste principale vers Tsawa Tinto où je comptais me rendre suivait la rive gauche du Nou Tchou. D'autres sentiers menaient vers le même village par la rive droite. Je pouvais donc, à mon gré, traverser ou non la rivière — tous les paysans me l'avaient répété — je préférais demeurer sur le sentier de la rive gauche pour ne pas approcher du monastère, donc j'avais fait fausse route. »

La génération de femmes actuelles s'est précipitée sur les voyages avec une étonnante voracité. Ce n'est généralement pas de goût de la conquête — fût-elle scientifique — qui les pousse, c'est le désir de connaître d'autres êtres humains, d'autres mœurs, d'autres climats, et celui — sans doute inavoué — de lutter contre le temps, de multiplier les perspectives, les comparaisons, et d'attirer dans la vie même, à l'intérieur de soi, cette composition, cette architecture du monde que les hommes communiquent en général à leurs œuvres plutôt qu'à eux-mêmes.

C'est que le temps est plus hostile encore à la femme qu'à l'homme. Agée, séparée de ses enfants, la puissance ne la console pas. Plus que tout autre, de son enfance à sa vieillesse, elle vit l'aspect négatif du temps : seule son enfance est vraiment libre. Remarquée sans effort dans sa jeunesse, elle se voit peu à peu ignorée au fur et à mesure que sa beauté disparaît. Ses mérites comptent peu. L'amour de l'homme s'adresse à son corps.

Son plus mortel ennemi est donc le temps — le temps, notre supplice, comme l'a écrit Simone Weil, et plutôt que de se mesurer à ce monstre toujours vainqueur, elle préfère le nier (comme Simone Weil qui essaie de le court-circuiter en « renonçant » à lui) ou lui arracher des écailles, des instants, comme Virginia Woolf, ou encore se soustraire à sa vision par l'oubli — fût-il pathologique — comme certaines héroïnes de Marguerite Duras.

Si l'homme vit dans une perspective temporelle, organisée, marquée par la réalisation des buts qu'il s'est fixés, la femme, semblable en cela aux habitants des pays pauvres, consomme de préférence immédiatement, sans chercher à mettre en réserve et préfère un instant heureux à la privation immédiate par où elle s'assurerait des avantages futurs.

C'est que, pour elle, les valeurs affectives restent les plus importantes, et ce sont celles précisément qu'il ne faut pas mettre en réserve.

Ce n'est pas seulement parce que la femme produit et élève les enfants qu'elle est associée à eux, c'est parce que, souvent, semblable à eux, elle vit dans le présent et ne se projette pas dans l'avenir.

Le temps des hommes n'est en effet qu'un autre système, le plus redoutable de tous, celui qui vous prive du présent au nom de l'avenir et ajourne indéfiniment l'instant en l'écrasant sous le passé et le futur.

Dès qu'une femme s'exprime, c'est en général pour revendiquer le droit au moment présent, pour affirmer le refus d'une vie aliénée dans le temps social si hostile au temps intérieur.

Aussi, peu de femmes, dans leurs œuvres, ont-elles manié le temps comme un élément positif, une dimension qui enrichit la vision en y ajoutant une complexité supplémentaire et un facteur de vérité.

L'une d'elles pourtant y a été poussée par les circonstances, et c'est Mme Roland. Enfermée dans sa prison, attendant son procès en écrivant ses *Mémoires,* celle-ci n'a pas pu s'empêcher de laisser pénétrer le présent dans le passé, d'éclairer l'un par l'autre, et de composer son œuvre comme un tragique va et vient. Mais cette composition est peut-être accidentelle, due aux circonstances, et il n'est pas certain qu'elle soit le résultat d'une réflexion esthétique. Voulue ou non, elle se rapproche singulièrement de celle des *Mémoires d'outre-tombe,* et il n'est pas indifférent de remarquer que Chateaubriand avait lu Mme Roland [16] :

« J'entendais beaucoup parler de Mme Roland que je ne vis point : ses *Mémoires* prouvent qu'elle possédait une force d'esprit extraordinaire. On la disait fort agréable; reste à savoir si elle l'était assez pour faire supporter à ce point le cynisme des vertus hors nature. Certes, la femme qui, au pied de la guillotine, demandait une plume et de l'encre afin d'écrire les derniers moments de son voyage, de consigner les découvertes qu'elle avait faites dans son trajet de la Conciergerie à la place de la Révolution, une telle femme montre une préoccupation d'avenir, un dédain de la vie dont il y a peu d'exemples. Mme Roland avait du caractère plutôt que du génie : le premier peut donner le second, le second ne peut donner le premier. »

Ce texte mérite qu'on s'y arrête.

Sous couleur d'être objectif, l'auteur concède à Mme Roland deux qualités : elle possédait « une force d'esprit extraordinaire » et elle était « agréable ». Or, ces deux qualifications, dont l'une est forte et l'autre particulièrement faible (car être « agréable » consiste simplement à plaire à tout le monde) sont rigoureusement incompatibles (Regulus était-il « agréable » ?), mais il faudrait — pour que Mme Roland fût acceptable —, non seulement qu'elle les ait conciliées (ce qui est impossible) mais qu'elle ait subordonné le terme le plus fort (la force d'esprit extraordinaire) au plus faible (la qualité agréable). Donc, tout en laissant croire que la force d'esprit n'est pas inacceptable chez une femme, Chateaubriand y pose une condition irréalisable : l'inversion de la grammaire psychologique; la force d'esprit n'est rien chez elle si la banalité ne la fait pas oublier.

Mais bientôt cette « force d'esprit extraordinaire » devient, sans explication et sous l'apparence d'une simple redondance, « le cynisme des vertus hors nature * ». Ce courage devait être dissimulé par la qualité agréable, non seulement parce que c'est la seule importante pour une femme, mais parce qu'il s'est lui-même transformé en cynisme par contamination pour avoir été « hors nature » c'est-à-dire déplacé chez

(*) Madame Maurice Amour, la très savante secrétaire de la Société Chateaubriand me fait remarquer justement que ce « cynisme » se rapporte à la position politique de Mme Roland qui « demandait la tête de la Reine, en attendant que la Révolution lui demandât la sienne » (M.O.T. L. IX, ch. 3). Il me semble cependant que ce passage s'adresse davantage à l'écrivain qu'à l'adversaire politique.

une femme. Le mot « cynisme » est certes bien choisi : d'une part il rappelle la connaissance de l'antiquité de Mme Roland nourrie de Plutarque, de l'autre, il la renvoie discrètement au règne de la nature, non seulement parce que les Cyniques étaient des païens, mais parce qu'ils étaient aussi des « chiens ». Il ne suffit cependant pas d'amoindrir la personne, c'est à l'écrivain qu'on en veut : comment cette malheureuse qui n'a voyagé ni en Amérique ni en Orient, ose-t-elle demander du papier pour raconter ce voyage dérisoire de la Conciergerie à la place de la Révolution ? En vérité, cette référence au « voyage » de Mme Roland n'est destiné qu'à provoquer dans l'esprit du lecteur une comparaison que le « bon goût » empêche de compléter : Mme Roland est à Chateaubriand ce que le voyage Conciergerie - Place de la Révolution est à un voyage qui s'étale sur trois continents. Qui dès lors songerait à se demander si Chateaubriand a puisé quelque idée chez Mme Roland ? Enfin, l'auteur du *Génie du Christianisme* envoie — sous le couvert d'une observation générale — la flèche du Parthe : « Mme Roland avait du caractère plutôt que du génie : le premier peut donner le second, le second ne peut donner le premier. »

Lisez : Mme Roland n'a pas été jusqu'au génie, mais moi qui ai du génie, j'ai par définition plus de caractère encore qu'elle n'en avait.

Chateaubriand a utilisé ici le procédé de la mise en orbite : il a feint de s'intéresser à Mme Roland, mais au fur et à mesure du discours, elle passe en éclipse pour lui laisser la place.

Le fonctionnement de ce discours représente admirablement celui de la vie : la femme est placée en présence d'une obligation impossible : avoir une personnalité *et* n'en pas avoir. On dresse alors un constat de carence qui porte à la fois sur les deux termes contradictoires, et on passe à l'exécution. Exécutée une seconde fois par la plume de Chateaubriand, Mme Roland devient un modèle réduit, un petit monde sans importance dont la vie ne compte pour rien au prix des convenances et qui va servir exclusivement à établir la supériorité de son critique.

Mais peut-être que Mme Roland, qui pensait comme tant d'autres que la révolution politique amènerait l'émancipation des femmes, avait cru aux valeurs viriles et s'y était aliénée.

Un auteur comme Virginia Woolf est infiniment plus difficile à « mettre en orbite ». C'est que le monde qu'elle crée est radicalement incommensurable avec celui des hommes. Il est impossible d'y trouver appui pour une comparaison. L'univers des hommes ressort de son œuvre dans le même état qu'un terme qui a été traité par la métaphore. Il n'est plus le même. Il a fait dans le langage un voyage cosmique qui l'a transformé.

Aussi bien, la notion de temps qui apparaît dans *Les Vagues* (17) est-elle différente de toute autre. Ce n'est pas le temps superposeur de visions et de connaissances qui est celui de Chateaubriand, ce n'est pas le temps du rêve qui est celui de Nerval, ce n'est pas le temps maîtrisé par la mémoire de Proust, c'est un temps entropique, un temps qui sépare, qui éloigne et qui ronge sans contrepartie l'unité initiale.

La composition de ce livre est si unique qu'elle mérite qu'on s'y arrête : le récit, qui n'a pas de narrateur, n'est divisé ni en parties ni en chapitres et les six personnages n'en constituent en vérité qu'un seul. C'est le temps qui opérera son partage en six.

Le temps du signifié est ici exclusivement celui de la *séparation,* celui par lequel chacun se mutile en se différenciant des autres, c'est un espace-temps affectif qui n'est ni celui du rêve ni celui de la réalité, c'est un temps purement féminin.

En effet : aucun des auteurs masculins qui se sont attaqués au temps, ni Chateaubriand, ni Proust ni même Joyce n'a osé avec une telle désinvolture faire fi du temps objectif, social, extérieur. Ils en usent au contraire pour le confronter avec leur temps personnel, mais ils ne l'ignorent pas : ils jouent avec lui, ce qui est une manière de le récupérer.

Si Virginia Woolf évoque parfois le temps objectif, c'est de loin, et seulement pour aider le lecteur à mesurer la distance qu'elle a prise avec lui (17) :

« Mais soudain on entend de nouveau le battement de la pendule. Nous reprenons conscience d'un univers différent de celui où nous étions plongés. C'est pénible, cela. C'est à cause de Neville que le temps où nous vivions a changé de rythme. Lui, qui pensait tout à l'heure dans ce temps infini où se meut l'intellect, et où seul l'éclair d'un instant nous sépare de Shakespeare, se mit à tisonner le feu, et commença de vivre dans le temps de cette autre horloge qui marque l'approche d'une personne ou d'un rendez-vous » (texte qui rappelle cette phrase de Jane Austen (18) : « Oh ne m'attaquez pas avec votre montre. Une montre va toujours trop vite ou trop lentement, on ne peut pas s'y fier... ») C'est que ce temps externe n'apporte rien, ou plutôt, ce qu'il apporte — qu'il s'agisse d'une réussite sociale ou d'une œuvre littéraire — n'est rien à côté de ce qu'il enlève : toutes ces possibilités confuses et amoureuses qu'il entraîne avec lui. A l'encontre des hommes, Virginia Woolf « ne joue pas le jeu », elle ne se laisse prendre ni au piège de la gloire ni à celui de la connaissance, elle voit le temps pour ce qu'il est, lui-même une vague :

« Puis, comme si toute la clarté éparse dans l'atmosphère refluait soudain à la manière d'une vague, j'aperçois le fond. Je vois ce que la routine recouvre... »

Cette routine, ce temps extérieur, ne sert qu'à dissimuler la réalité, l'impitoyable destruction de la beauté et de l'amour, la division de ceux qui étaient unis et que le temps sépare. Rien ne peut consoler de cet arrachement et la seule défense est d'isoler les instants que l'on peut capter, de leur extraire toute leur substance, *de les couper de tout contexte :*

« Je ne réussis pas à enfiler les unes aux autres les minutes et les heures, à les dissoudre par un procédé tout simple jusqu'à ce qu'ils forment cette masse une et indivisible que vous appelez la vie... » et l'auteur ajoute sans apparente logique, mais sa logique est métaphorique : « et je suis sans visage », c'est-à-dire : je suis une femme anonyme et mon temps est différent du vôtre...

On retrouve ici le refus énergique de toute contiguïté, et le livre est, au point de vue des signifiants comme à celui des signifiés, entièrement fondé sur l'analogie ce qui lui donne cette allure poétique si rare dans le roman. (Dans un autre texte « *Lappin et Lapinovna* » (19) un ménage mourra, et le récit aussi, de la mort d'une métaphore.)

Temps et espace, répondant alors au rythme de l'esprit qui est aussi celui de la biologie où tout procède par pulsations, la circulation sanguine comme l'afflux nerveux, ne participent plus de la continuité artificielle à quoi la vie sociale oblige, mais d'une réalité qui est simplement celle de la vie intime.

La continuité ressort en effet d'une préoccupation premièrement sociale. Le système viril a consisté jusqu'à présent à obliger les femmes à assumer la continuité matérielle — celle de la vie quotidienne, celle de l'espèce — tout en assumant eux-mêmes la fonction discontinue, celle de la découverte, du changement sous toutes ses formes, enfin, la fonction supérieure et différenciée.

Il s'en suit que pour retrouver la fonction perdue, indispensable et complémentaire, la femme est obligée d'apporter un autre découpage au temps et à l'espace, de refuser leur continuité, de les fragmenter en instants et en lieux qui ne se relient pas entre eux, de sorte que chacun soit une sorte d'innovation par rapport à son contexte temporel ou géographique.

Sa vie — et son œuvre, dans le cas de Virginia Woolf — ressemble donc souvent à un archipel, une série de petites îles qui pointent dans une mer inconnue et que la vague, à son gré, couvre ou découvre.

Cette vision préserve la fraîcheur de la vie en refusant de la considérer comme un paysage qui défile pendant qu'on pense à autre chose : « Vos jours et vos heures passent comme passent les paysages de branches d'arbres et de mousses des forêts aux yeux du chien de chasse qui galope sur une piste... » (La politesse faite par Chateaubriand à Mme Roland est ici retournée...)

Il y a donc d'un côté ceux qui ne voient dans l'instant qu'un passage pour parvenir à leur but, et de l'autre, celles qui s'y engluent, l'étirent, le prolongent car il est pour elle une fin en soi. Ces deux visions souvent contradictoires quand elles devraient être complémentaires ainsi qu'il arrive chez les artistes, aboutissent à des querelles : les femmes « perdent leur temps » et les hommes « ne savent pas vivre ».

Ces différentes observations permettent de comprendre pourquoi le professeur Anastasi, de l'université de Fordham, a pu conclure ses expériences sur la psychologie différentielle par cette remarque : « Dans l'ensemble les filles sont meilleures que les garçons dans les sujets qui dépendent largement de l'activité verbale, de la mémoire et de la vitesse perceptuelle. Les garçons sont meilleurs dans les sujets liés au raisonnement numérique, aux aptitudes spatiales, et dans certains sujets d'information tels que l'histoire, la géographie et les sciences en général. »

Reste à savoir si, en prenant conscience de leur identité sans essayer d'imiter ce qui a été fait jusqu'à présent, les femmes ne pourraient pas inaugurer une nouvelle culture. Notre connaissance s'est engagée dans une voie qui n'était pas nécessairement la seule possible. Ces dernières années ont vu un renouvellement des disciplines principales qui a permis de méditer sur ceci : non seulement les discours de la connaissance sont arbitrairement choisis, mais son objet l'est aussi.

La théorie des ensembles mathématiques ne constitue pas tant un progrès qu'un changement de point de vue : le passage de la monovalence à la polyvalence, et, de même qu'en art, l'Impressionisme qui s'occupe du caractère relatif des couleurs les unes par rapport aux autres, n'est pas nécessairement préférable à telle école qui l'a précédé, mais seulement préoccupé d'autre chose, de même la physique relativiste n'infirme pas celle de nos pères : elle se tient à côté et observe ailleurs.

Ce qui reste à connaître est toujours si considérable que chacun peut accommoder à son gré sa lunette sans que cela doive impliquer une limitation pour autrui.

Pourtant, quant on considère l'amertume de nos intellectuels les plus remarquables lorsque l'âge les surprend, on ne peut s'empêcher de penser qu'un savoir qui serait aussi un savoir-vivre et un savoir-mourir, c'est-à-dire peut-être, une sagesse, serait hautement désirable, de même d'ailleurs, comme cela est apparu ces dernières années, qu'une science fondée sur l'harmonie plus que sur la domination.

CONCLUSION

J'ai essayé de consigner ici certaines des stupéfactions qui ont été les miennes lorsque je tentais de m'initier au savoir et à la culture virils.

J'ai eu d'excellents maîtres.

Ils me ravissaient d'autant plus que leur voix me paraissait parvenir d'un monde irréel aussi étranger que celui des Mille et une Nuits. Rien n'était plus beau qu'un cours de droit ou une leçon de philosophie : les évidences y étaient délibérément mises de côté pour faire place à d'étonnantes constructions architecturales où il m'arrivait souvent — hélas — de me perdre car elles étaient pour moi entièrement arbitraires. Je contemplais ces beaux systèmes de loin, je les admirais, mais je n'arrivais pas à y entrer.

C'est *en restant à ma place* que j'ai tenté de rédiger ce travail, ma perspective ne pouvant être que différente, de même que l'horizon d'une personne d'un mètre soixante n'est pas celui d'une autre qui mesure un mètre quatre-vingt-dix.

Il m'a semblé utile de montrer, non seulement comment la vision d'une femme était différente, mais aussi qu'une telle vision pouvait servir à éclairer les questions les plus variées.

J'ignore si ce regard différent subsistera dans un monde qui s'achemine vers l'uniformité, mais je le souhaite. D'abord parce que l'uniformité est ennuyeuse : elle n'unit pas, elle accable, mais aussi parce qu'il me semble injuste que certains points de vue soient obligés de céder devant d'autres qui ne sont pas nécessairement plus justes ni meilleurs.

Je ne vois pas grand avantage à ce que les femmes puissent accéder à de nouvelles fonctions si elles sont obligées pour cela de se renier et de vivre dans un demi-mensonge.

Enfin il me semble particulièrement enrichissant pour les deux sexes d'essayer chacun d'apprendre la langue de l'autre au lieu qu'il y en ait une officielle. L'échec de l'amour — qui préoccupe chacun plus qu'on ne croit — provient le plus souvent d'une incompréhension. Les mots comme les actes n'ont pas le même sens pour les uns et pour les autres, et personne n'explique ce qui lui paraît évident.

Chacun se résigne comme il peut et transmet sa défaite à la génération suivante qui est d'abord remplie de mépris pour ses prédécesseurs, mais bientôt ne tarde pas à les imiter avec des apparences nouvelles. Et l'homme traîne cette hypothèque dont les intérêts ne cessent pas d'augmenter.

Je ne prétends pas bien sûr avoir trouvé une solution.

J'ai seulement essayé de porter témoignage.

NOTES

Les éditions et leurs dates ne seront mentionnées que lorsque cela sera utile pour retrouver les textes.

CHAPITRE I

(1) Jean-Jacques ROUSSEAU, *L'Emile.* Toutes les citations sont empruntées à la dernière partie.
(2) MOLIÈRE, *L'Ecole des femmes,* acte II, scène V.
(3) MONTAIGNE, *Les Essais,* vol. III, *Sur des vers de Virgile.*
(4) Claude LÉVI-STRAUSS, *Du Miel aux Cendres,* éd. Plon, Paris, p. 240 et *circa.*
(5) Barbey D'AUREVILLY, *Les Diaboliques.*
(6) Marcel PROUST, *Un amour de Swann,* coll. Folio, Paris, p. 32.
(7) Roland BARTHES, *Le Plaisir du texte,* Ed. du Seuil, Paris, p. 12.
(8) Claude LÉVI-STRAUSS, *L'Origine des manières de table,* éd. Plon, Paris, p. 206.
(9) Hans ANDERSEN, Contes, *La Petite Sirène.*
(10) CHIN KU CHI'I KUAN, conte non publié en Europe à ma connaissance. « Tu shih Niang humiliée se noie avec sa cassette aux mille trésors. »
(11) Texte attribué à Ch. de la Condamine, présenté par Franck TINLAND, *Histoire d'une jeune fille sauvage,* éd. Ducros, Paris, *passim.*
(12) Mme DE LA FAYETTE, *Romans et Nouvelles,* éd. Garnier, Paris, coll. Selecta, p. 374.

(13) Mme D'AULNOY, Contes, *La Biche au bois.*

(14) Mme DE LA FAYETTE, *opus cit.*, p. 333.

(15) Dion Cassius. Histoire. Livre XVIII. (Zonaras 9, 16-17 et 9-17.)

(16) Julia KRISTEVA, *La Révolution du langage poétique*, éd. du Seuil, Paris, p. 614.

CHAPITRE II

(1) STENDHAL, *De l'Amour,* Nouvel Office d'Edition, Paris, ch. LIV, p. 207 et suivantes.

(2) Mme DE LA FAYETTE, *opus cit.*, p. XVIII.

(3) *Kodjidan,* vol. II.

(4) Mme DE LA FAYETTE, *opus cit.*, « Zaïde », p. 106.

(5) Lady MURASAKI, *The tale of Genji,* Doubleday Anchor Book, New York, traduit du japonais par Arthur Waley, retraduit en français par moi, p. 146.

CHAPITRE III

(1) MONTAIGNE, *opus cit.* Les textes cités dans ce chapitre appartiennent à ces deux essais : vol. Ier, ch. XXIII : « De la coutume de ne changer aisément une loi reçue »; vol. III, ch. XIII : « De l'Expérience. »

(2) André BRETON, *L'Amour fou,* éd. Gallimard, Paris 1968, pp. 21, 71 et 102.

(3) André THIRION, *Révolutionnaires sans révolution,* éd. Robert Laffont. Paris, p. 195.

(4) André BRETON, *Les Vases communicants,* coll. Idées, N.R.F., p. 66, 68.

CHAPITRE IV

(1) Virginia WOOLF, *La Maison hantée,* traduit par Hélène Bokanowski, éd. Charlot, Paris, p. 105.

(2) Peter TOMPKINS and Christopher BIRD, *The Secret Life of Plants,* Harper and Row, U.S.A., p. 374, traduit par moi.

(3) Maturin, *Melmoth,* Pauvert, Paris.

(4) COLETTE, *L'Entrave,* Flammarion, Paris, p. 159.

(5) Gérard DE NERVAL, *Aurélia,* Société d'édition d'enseignement supérieur, début, p. 24 et *passim.*

(6) Jules MICHELET, *Histoire de France,* t. III, Flammarion, Paris, p. 153.

(7) SADE, *Justine ou les Malheurs de la Vertu*, col. 10/18, p. 238.
(8) Sigmund FREUD, *Dora : an analysis of a case of hysteria*, Colliers Books, New York, pp. 22, 37 et 157, retraduit de l'anglais par moi.
(9) Sigmund FREUD, *Cinq leçons de psychanalyse*, Payot, Paris, p. 11.
(10) Jacques LACAN, *Le Séminaire Livre XX Encore*, éd. du Seuil, Paris, pp. 54, 78, 79.
(11) Kleist, traduit par Julien GRACQ, *Penthésilée*, éd. José Corti, Paris, p. 121.
(12) RACINE, *Phèdre*, acte III, sc. I.
(13) Simone DE BEAUVOIR, *Mémoires d'une jeune fille rangée*, éd. Folio, Paris, pp. 501, 502.
(14) Sigmund FREUD, *The Uncanny*, Colliers Books, New York, p. 47, retraduit de l'anglais par moi.
(15) CHATEAUBRIAND, *Les Mémoires d'outre-tombe*, t. Ier, livre XIV, ch. Ier et livre XII, ch. V.
(16) Marcel PROUST, *La Recherche du temps perdu*, éd. Gallimard, coll. La Pleiade, t. III, p. 889.
(17) Roman JAKOBSON, *Studies on Child Language and Aphasia*, éd. Mouton, La Haye-Paris, ch. : *A Linguistic Typology of aphasia impairements*, p. 81.
(18) COLETTE, *L'Entrave, opus cit.*, p. 225.
(19) *Mémoires de Madame Roland*, éd. Mercure de France, Paris, p. 247.

CHAPITRE V

(1) Marcel PROUST, *La Recherche du temps perdu, opus cit.*, t. III, p. 375.
(2) Barbey D'AUREVILLY, *Les Diaboliques*, éd. Garnier Flammarion, 1967, p. 69.
(3) *Ibid.*, pp. 296, 297, 314.
(4) *Ibid.*, p. 253.
(5) *Ibid.*, pp. 88 et 92.
(6) *Ibid.*, p. 247.
(7) *Ibid.*, p. 261, 265, 270.
(8) *Ibid.*, p. 260.
(9) *Ibid.*, p. 266.
(10) *Ibid.*, p. 255 et suivantes.
(11) *Ibid.*, p. 226.
(12) *Ibid.*, p. 259.

(13) *Ibid.*, p. 275.
(14) *Ibid.*, p. 272.
(15) *Id.*
(16) *Ibid.*, p. 240.
(17) *Ibid.*, p. 275.
(18) *Ibid.*, p. 276.
(19) *Ibid.*, p. 277.
(20) *Ibid.*, p. 260.
(21) *Ibid.*, p. 241.
(22) *Ibid.*, p. 228.
(23) Pierre NOAILLES, *Fas et Jus,* éd. Les Belles Lettres, Paris, chapitre : *Les Tabous primitifs du mariage dans le droit primitif des Romains.*
(24) Georges DUMÉZIL, *La Religion romaine archaïque,* éd. Payot, Paris, p. 611 et suivantes.
(25) Alain HUS, *Les Etrusques,* éd. du Seuil (coll. Le Temps qui court), *passim.* Voir aussi Jacques Heurgon, *La Vie quotidienne des Etrusques,* éd. Hachette, Paris.
(26) Pierre NOAILLES, *Fas et Jus, opus cit.*, chapitre *Le Procès de Virginie,* p. 218.

CHAPITRE VI

(1) Victor SEGALEN, *Briques et Tuiles,* éd. Fata Morgana, Paris, 1975, p. 30.
(2) Simone PÉTREMENT, *La Vie de Simone Weil,* éd. Fayard, Paris, t. Ier, p. 118.
(3) CHATEAUBRIAND, *Les Mémoires d'outre-tombe,* t. Ier, chapitre : *Réflexions sur mon voyage - Mort de Julien.*
(4) *Ibid.*, t. Ier, livre VI, chapitre : *Traversée de l'Océan.*
(5) Gérard GENETTE, *Figures III,* éd. du Seuil, Paris, p. 48.
(6) Anatole LE BRAZ, *La légende de la mort chez les Bretons armoricains,* Champion, Paris, 1974, t. Ier, p. 90.
(7) Dominique DESANTI, *Flora Tristan, vie et œuvres mêlées,* Union générale d'éditions, Paris, p. 89 et suivantes.
(8) Ella MAILLARD, *Oasis interdites,* Le Livre du mois, Lausanne, 1971, p. 90.
(9) Peter FLEMING, *News from Tartary,* Jonathan Cape, London, 1936, pp. 114-115. Traduit par moi.
(10) Virginia WOOLF, *Orlando,* Penguin Book, p. 75, traduit par moi.
(11) Nils O. JACOBSON, *Life without Death,* Dell Books, U.S.A.,

p. 194, traduit par moi.

(12) Anatole LE BRAZ, *opus cit.*, t. Ier, p. 53.

(13) Jan MORRIS, *L'Enigme,* Gallimard, Paris, p. 194.

(14) Virginia WOOLF, *Orlando, opus cit.*, p. 120, traduit par moi.

(15) Alexandra David NEEL, *Voyage d'une Parisienne à Lhassa,* éd. Plon, Paris, p. 133.

(16) CHATEAUBRIAND, *Mémoires d'outre-tombe,* t. Ier, livre IX, ch. VI, *Je joue et je perds...*

(17) Virginia WOOLF, *Les Vagues,* traduit par Marguerite YOURCENAN, éd. Stock, Paris, pp. 123, 247.

(18) Jane AUSTEN, *Mansfield Park,* éd. La Boétie, Bruxelles, 1945, p. 70.

(19) Virginia WOOLF, *La Maison hantée,* nouvelle : *Lappin et Lapinovna,* p. 127.

TABLE DES MATIERES

INDEX DES AUTEURS CITES

ACHEVÉ D'IMPRIMER LE 25 MAI 1976
SUR LES PRESSES DE LA SOCIÉTÉ
NOUVELLE DES IMPRIMERIES DELMAS
A ARTIGUES-PRÈS-BORDEAUX

Dépôt légal en 1976 (2e trim.).
ISBN 2-7210-0059-4.